“読むだけ”でお金持ちになる!

お金が増えるのは、どっち?

ファイナンシャルプランナー
立川健悟

三笠書房

はじめに

1つの選択が、人生を変える!?
本当に「お金を増やした人」の増やし方が身につく本!

『お金が増えるのは、どっち?』——。

このタイトルが示す通り、本書は「2つの選択肢から正解を選ぶ」ことをきっかけにして、**お金の教養&実践力を身につける**ための本です。

「買物」「貯蓄」「節約」「保険」「税金」「投資」「退職金」「年金」「贈与・相続」……。

人生には、お金に関する選択の機会が数多くあります。その１つひとつの選択が、私たちの人生を形作っていると言っても過言ではありません。

ウィリアム・シェイクスピアが『ハムレット』で語ったように「**人生は選択の連続**」。しかも、人生１００年時代となった今、その選択が将来に与える影響は、ますます大きくなり、重みを増しているのです。

私は今でこそ、ファイナンシャルプランナーとして、みなさんの夢や希望を実現するために、お金に関するアドバイスをしていますが、30歳の頃は、お金に関する意識がとても低く、つねにお金に困る生活をしていました。

そんな私が、お金の大切さに目覚め、人生を劇的に変えることができたのは、不動産の

営業を通じて出逢った、超富裕層たちからの学びがきっかけでした。

　その学びとは「**お金が増える正しい選択をする**」という、シンプルで合理的なもの。この考え方を実践したことで、徐々に使えるお金が増え、増えたお金を自分に投資し、仕事の成果が大幅にアップ。その成果が認められ、主要株主の1人として執行役員に就任。会社の株式上場に伴い、お金持ちの仲間入りを果たすことができたのです。

　私が超富裕層たちから学んだことは、けっして特別なものではありません。かつての私のように、お金の悩みを抱えている一般の人でも十分に実践できることです。

「本当にお金を増やした人たち」が実践するお金の増やし方とは、どういうものか？

　本書では、その具体的な方法を明らかにしていきます。貯める、増やす、使う、守る、備える、残す……といったお金の重要テーマを69個の切り口で掘り下げます。

　本書のカバーで「この本の金銭的リターンは２０００万円以上！」と銘打ちましたが、けっして大げさではありません。本書で取り上げた項目の効果を試算すると、生涯で５０００万円以上の資産アップが期待できるのです。

　将来、お金が増える見通しが立つことで、**今使えるお金も増やす**ことができます。

　本書によって、あなたの人生が、さらに実り豊かなものになることを祈っています。

ファイナンシャルプランナー　立川健悟

contents

3章 お金が増える増やし方は、どっち？

4章 お金が増える守り方は、どっち？

5章 お金が増える残し方は、どっち?

6章 お金が増える考え方は、どっち?

1章

お金が増える
使い方
は、どっち？

Which is the
best way to use
your money?

お金が増える
使い方
は、どっち?

Question

買物の支払いは「クレジット」「現金」。

支出の管理のしやすさで選ぶなら

お金を増やすために重要なことが、お金の管理。管理のしやすさという意味においては、買物の支払いは「現金」ではなく「クレジット」が正解。**支払い履歴が残る**ため、つねに家計の状況を把握しながら、毎月の支出を調整することができます。

また、多くのクレジットカードは、利用金額に応じて**ポイント**が貯まります。貯まったポイントは、買物の**利用代金への充当**や、**好きな商品・サービスと交換**することもできるため、同じお金でより多くの効果を得ることができるのです。

注意点は**手数料**。利用代金明細書の郵送や、年会費などに費用がかかるケースがあるので、諸費用を見極めつつ、自分のライフスタイルにあった1枚を見つけましょう。

クレジットカード選びのポイント

ポイントを貯めるコツは、「還元率」×「利用頻度」。
日常生活で頻繁に使えるカードを選びましょう。

●ポイント還元率

□買物の際、ポイント還元率は高いか

●利便性

□生活の中でクレジットを使えるシーンは多いか
例「コンビニ」「飲食店」「スーパー」「鉄道」など

●手数料

□費用かかる場合、サービスは見合っているか
例「年会費」「事務手数料」など

●付帯サービス

□自分のライフスタイルに合ったものがあるか
例「海外旅行保険」「ロードサービス」「施設優待」など

クレジットカード払いで賢く節約

月々の生活費をクレジットカードで支払い、
貯まったポイントを活用することで賢い節約が可能。

	月間ショッピング利用金額	付与されるポイント（pt）		
		還元率 0.5%	還元率 1.0%	還元率 1.5%
食費	80,000円	400	800	1,200
水道光熱費	25,000円	125	250	375
家庭用品	15,000円	75	150	225
被服費	10,000円	50	100	150
交通・通信	50,000円	250	500	750
教育・その他	90,000円	450	900	1,350
支出合計	270,000円	1,350	2,700	4,050
	年間 ▶	16,200	32,400	48,600

1pt 1円として利用できる場合　**年間で約5万円お得!**

Point

クレジットカードは、普段の買物だけでなく**税金を支払う**ことにも使えます。金額が大きなものもあるので、クレジット払いにすることでポイントがたくさん貯められる効果も。**「固定資産税」「住民税」「自動車税」**の他にも**「ふるさと納税」**、さらには**「相続税」「贈与税」「法人税」**なども支払うことが可能です。自治体によっては未対応の税金もあるので、必ず事前に確認しておきましょう。

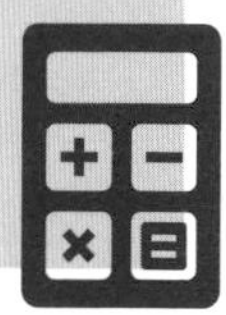

Answer

買物の支払いは、管理しやすく
貯まったポイントも使える

クレジット!

お金が増える
使い方
は、どっち?

Question

クレジットの支払いは「一括」「分割」?

支払い時期と手数料をチェック

多くの人が、普段なにげなくクレジットカードの支払い方法として利用しているのが「一括払い」。店舗などでは、利用者側から申し出なければ、自動的に設定されていることもあります。

しかし、お金を増やしたいのであれば、**2回の「分割払い」**がおススメ。3回以上の分割払いでは手数料がかかりますが、ほとんどのクレジットカード会社は、2回の分割払いは手数料が無料です。引き落とし額が半分になり、**引き落としのタイミングを2カ月先まで延ばす**ことができるため、手元のお金を増やすことができます。

注意点は、すべての店舗で分割払いができるわけではないことと、支出の把握と管理が少し複雑になることです。

■ 分割払いの特徴

分割払いのメリットとデメリットを理解したうえで、計画的に利用しましょう。

●メリット

- □1 回の支払額を抑えることができる
- □支払い回数を決めることで支出を調整できる
- □分割払いにすることで補償がつく場合もある

●デメリット

- □決裁金額に応じて手数料がかかる
- □買物を重ねると、月々の負担が増加する
- □1回の支払いが少ないため使いすぎてしまう
- □分割払いが利用できない店舗もある

手数料が高い分割払いやリボ払いに注意

「毎月の支払い額」を指定して分割するリボルビング払いは、
同じ買物をしても、分割払いより総支払い額が増える傾向にあります。

● 10万円を分割払い、リボ払いする場合［手数料率15%］

支払いが 3,598円 増える！

分割払い　総支払額 ＝ 購入額＋手数料

（5回払い）

	❶	❷	❸	❹	❺	支払い総額
	2万円	2万円	2万円	2万円	2万円	10万円＋
	＋	＋	＋	＋	＋	
手数料	1,068円	1,006円	759円	509円	256円	3,598円

※手数料は、手数料率（金利）と回数によって計算される。

支払いが 6,688円 増える！

リボ払い　毎月の支払額 ＝ 毎月の支払い設定額 ＋ 残高 × 金利 ÷ 12カ月

（月1万円返済）

	❶	❷	❸	❹	●	支払い総額
	1万円	1万円	1万円	1万円	……	10万円＋
	＋	＋	＋	＋	＋	
手数料	1,065円	1,106円	1,016円	860円	……	6,688円

※手数料は、毎月の残高に手数料率（金利）をかけて計算される。

Point

分割払いで選んではいけないのが**「リボ払い（リボルビング払い）」**。利用金額を分割回数で割った金額に手数料を加えて毎月支払う「分割払い」と異なり、「リボ払い」で一般的な定額方式は、あらかじめ決めておいた一定額を毎月支払うもの。返済の残高がわかりにくく、**手数料も高額**に設定されていることが多いため、通常の分割払いと比べて、総支払額が増え、支払い期間も長くなりがちです。

Answer

引き落とし額が減り、
支払いのタイミングを先延ばしできる

分割（2回）！

お金が増える
使い方
は、どっち?

Question

ポイントは積極的に「使う」「貯める」?

生活満足度が高まるお金の使い方

買物やサービスの利用でポイントを貯める「ポイ活」。上手に貯めればお小遣い稼ぎができます。

ポイントにはさまざまな店舗で利用できる**「共通ポイント」**と、特定の店舗のみで使える**「ハウスポイント」**の２種類があります。前者の代表は「Ｔポイント」「楽天ポイント」「Ｐｏｎｔａポイント」「ｄポイント」です。

ポイントが貯まるのは嬉しいですが、支払ったお金以上に貯まることはありませんし、現金のように場所を選ばず自由に使うこともできません。

あくまでもポイントはお金を使った際の副産物です。貯まった**ポイントを積極的に利用**することで、なるべく現金を手元から減らさないようにしましょう。

ポイントを貯めずに使うべき理由

ポイントと現金との性質の違いを見極め、
ポイントを貯めすぎないように注意しましょう。

- **ポイントには「利息」がつかない**
  ポイントサービスによっては、貯まったポイントの量によって、ポイントの価値が上がるものもある
- **ポイントプログラムは「改悪」されがち**
  ポイント付与率の変更や、ポイントの価値変更など
- **ポイントには「有効期限」がある**
  有効期限がないものでも、自らの解約や発行会社の倒産、本人の死亡などでポイントは失効する
- **ポイントの「不正利用」には補償がない**
  不正アクセスにより勝手に利用されても補償はない

ポイントの賢い使い方

自分の生活に合ったお得なポイントの使い方を
身につけましょう。

● ポイントを交換する	特徴
電子マネーに交換	電子マネー利用で **さらにポイントが加算**
マイルに交換	**1マイル1円以上の価値**
他のポイントに交換	交換レートが高い **ポイントに交換**

● ポイントを使う	特徴
増量して使う	会計時にポイントが増額される期間の利用 **例）100pt→150pt**
ポイント付与の対象とならない **消費税、送料、手数料、修理費の分だけ使う**	付与されるポイントは変わらない **出ていく現金を減らす**

効果的な交換と利用で **コツコツお得に!**

Point

ポイントを紐づけられるクレジットカードを利用することは、ポイントを貯める王道手段。自分の消費スタイルに合ったクレジットカード1枚を集中して使うことで、効率よくポイントを貯めましょう。一方、「今だけポイント○倍」などポイント還元が目的で、商品を購入してしまうと、**逆に無駄遣いをしてしまう**ことも。他にも、友達紹介でポイントが付与されると知り、友達に勧めすぎてしまうと迷惑をかけることもあるので注意。

Answer

ポイントは現金よりも使い勝手が悪いため

積極的に使う!

お金が増える
使い方
は、どっち？

Question

交通系ICへの入金は「定期的に」「その都度」？

総額を把握しやすいのは……

都市部を中心に多くの人が利用している、SuicaやPASMO、ICOCAなどの**「交通系電子マネー」**。

利用にはチャージが必要なため、一見お金の管理ができているようにも見えますが、入金した総額を把握できていない人は多いです。

そこで、なくなったら「その都度」チャージするのではなく、あらかじめ金額とタイミングを決めておく**「定期的」なチャージ**がおススメ。

たとえば、交通費が毎月1万円ほどかかる人であれば、月初に1万円をチャージしておくのです。

クレジットカードと連動している交通系電子マネーであれば、チャージの履歴も残るため、さらにお金の管理がしやすくなります。

■さらにポイントを貯めるために

還元率の高いクレジットでチャージした交通系電子マネーを優待店で利用して、ポイントを二重取りしよう。

［JRE CARD］の場合

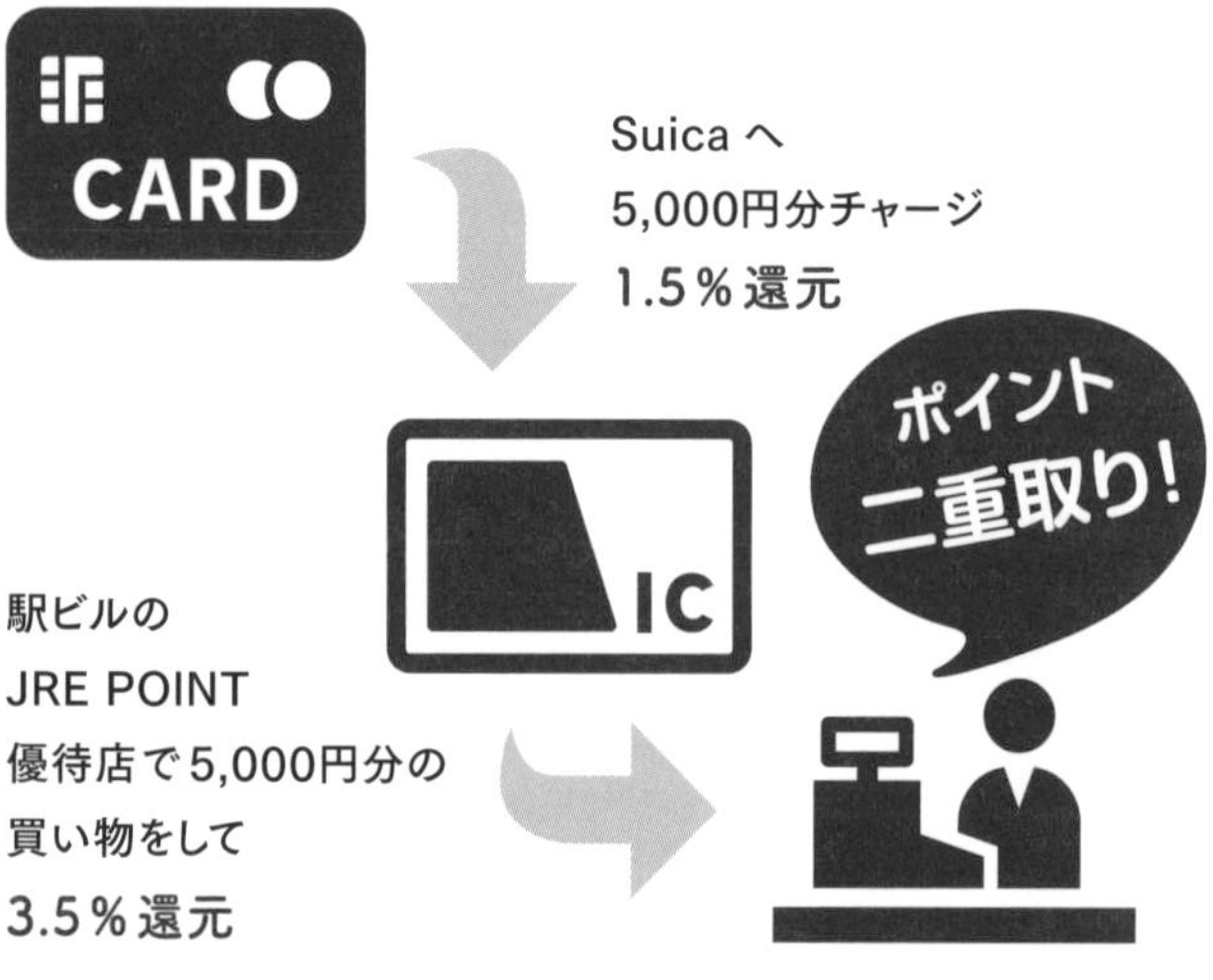

■クレジット払いによるチャージでお得に

効率よくポイントを貯めるには、
還元率の高いクレジットカードと連動したチャージがおススメ。

交通系電子マネーへの
月間のクレジットチャージ額

定期券	15,000円
Suicaチャージ	5,000円
合計	20,000円

※ モバイルSuica定期券の購入で付与される2%とビューカード決済で付与される3%の合計。

ビュー・スイカ
カード払いなら

モバイルSuicaによる
定期券購入で5.0%※
Suicaチャージで
1.5%還元

年間

9,900pt

1pt 1円で利用することで

年間
約1万円
お得!

Point

交通系電子マネーは、電車の乗り降りだけでなく、さまざまな場所で使うことができます。そこで、チャージしたお金の利用範囲を**「交通費+コーヒー代」**など、自分の生活スタイルに合わせて設定して、支出をコントロールすることも効果的です。また、**小遣い**を使う先がすべて電子マネーでまかなえるのであれば、毎週決まった曜日に一定額をチャージして、その範囲内でお金を使うこともおススメです。

Answer

交通系電子マネーへのチャージは
利用目的に合わせて、決まった額を

定期的に!

お金が増える
使い方
は、どっち?

Question

普段の買物は「必要な分だけ」「多めに安く」?

割安が結果的に割高になることも

スーパーマーケットで売られている、大袋の食品の1個当たりの値段を考えると、多めに安く買えたと感じることでしょう。

しかし、適量かどうかはまた別の話。割安に買ったとしても、賞味期限までに食べきれなかったり、使い切れない場合、余った物は廃棄してしまうため、**食べた量を考えると割高**になることも。

日用品の大量買いは、1回の支出が大きくなるうえ、数カ月かけて消費する場合、毎月の**支出を把握しにくくなる**という注意点もあります。

定年後に受け取る公的年金は、給与所得よりも少ないことから、老後は生活費を抑える人が増えています。**必要な分だけを買う**意識を持つことは、生涯にわたってあなたを助けてくれることでしょう。

スーパーマーケットの活用術

食費を抑えるだけではない!
スーパーマーケットを効果的に活用する方法。

●小袋で分けられているものを選ぶ
食料品は、開封してからの賞味期限が短め。小分けにされているものを選ぶことで、味の劣化を防ぐことができる

●業務用食材で料理の時間を短縮する
スーパーマーケットで売られている半調理の食材や、未調理の冷凍カット野菜は、必要な分だけ取り出して使うことができるうえ、調理時間を短縮できる

●輸入食品で海外気分を味わう
アジアの屋台メシの冷凍食品や、直輸入した食材や調味料を使うことで、海外旅行気分を味わえる

物価上昇は食品ロス削減でカバー

値上げに対抗するには、収入を増やすか、支出を減らすかという考えになりがち。食品ロスを見直すことで、値上げ分を一部吸収することが可能です。

食料品の家計負担増と食品ロス

家計負担増

■ 資源価格の上昇
原材料などの価格高騰が物価に反映

■ 円安の進行
輸入に頼っている日本では物価に大きく影響

対前年比（年間）
36,000円アップ！

食品ロス

日本の政令指定都市の中で家庭ごみが最も少ない京都市の場合

世帯あたり（年間）
56,000円

日本経済新聞（2022年9月7日）

食品ロスを減らすことで **物価高を相殺！**

Point

トイレットペーパーなどの日常品を大量買いすると、目の前に在庫がたくさんあることから、つい気がゆるんで雑に使ってしまいがち。その結果、**消費スピードが早く**なり、買物の頻度が上がり、最終的にかかるお金が増えてしまっては本末転倒です。三世帯家族、子どもや来客の多い家でもなければ、大量買いは控えましょう。ラックや棚など**収納スペースを増やす家具を置かない**ことで買物を控えるという方法も。

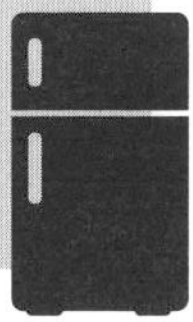

Answer

賞味期限切れの食品の廃棄や気のゆるみを避けるため買物は **必要な分だけ！**

お金が増える
使い方
は、どっち?

Question

定期的に使うなら「まとめ買い」「サブスク」?

労力や時間まで考えると……

定期的に使うものは、「まとめ買い」がお得と考える人は多いでしょう。

でも、今後はそうとは限りません。ここ数年、**「サブスク（サブスクリプション：定額継続購入）」**で利用できる製品やサービスの種類は大幅に増えました。

商品の値段だけでなく、**買物に行ったり、商品を持ち運ぶ労力や時間**を考えると、まとめ買いよりも「サブスク」のほうがお得な場合もあります。

ただし、自分が使用しないものや、興味のないコンテンツが含まれている場合は要注意。

無料お試し期間が設定されているサブスクを上手に使って、ライフスタイルに合っているかどうかを見極めたうえで、お得に利用しましょう。

■ サブスクの特徴

利用する際のメリット・デメリットを理解して、
自分に合ったサービスを使いましょう。

●メリット

- □高額な商品・サービスを安価に利用できる
- □わざわざ店舗などで購入する必要がない
- □モノを所有する必要がない
- □登録・解約が簡単に行なえる

●デメリット

- □毎月の固定費が増える
- □必要ない商品・サービスも月額費用に含まれる
- □解約すると手元に何も残らない

まとめ買いをサブスクに変えてお得に

定期的に利用しているサービスや、毎月まとめ買いしている商品があれば、サブスクの利用を検討してみましょう。

購入している商品	まとめ買い		サブスク（月額）	
DVDレンタル 2本	旧作7泊8日 350円×2	700円	Amazon Prime Video	600円
雑誌の定期購読 2誌	700円 ×2	1,400円	dマガジン	440円
お弁当 8食	800円 ×8	6,400円	ナッシュ nosh club利用	5,073円
離乳食 20食分 生後7～8カ月	900円 ×20	18,000円	the kindest	13,997円
コーヒー 60杯	110円 ×60	6,600円	ネスカフェバリスタ（本体無料レンタル）	1,800円
おもちゃ 6個	1,000円 ×6	6,000円	Cha Cha Cha	3,630円
支出合計		39,100円		25,540円

※ 一部送料含む。

毎月1万3,000円の節約で **年間 約16万円お得！**

Point

忙しい子育てをサポートしてくれるのが、保育園へ直接**「おむつ」**や**「おしりふき」**を届けてくれるサブスク。サイズ、枚数は関係なく何枚でも使い放題なのが嬉しいですね。

その他にも、園内で使う**「洋服」**や**「タオル」**などを届けてくれるサブスクも。それまで荷物で埋まっていた手が、子どもの手を握るために使えるように。サブスクを上手に活用することで、幸せな親子関係もつくり放題です。

Answer

商品の値段だけでなく、買物と使用にかかる労力も考慮して

サブスク！

お金が増える使い方は、どっち?

Question

ガソリンの給油は毎回「定額」「満タン」?

金融投資のノウハウを活用して給油

近年の車の需要減と、地政学リスクや円安の影響を受けて**ガソリン価格が高騰**しています。価格が安いときにガソリンが空となり「満タン」にできればいいですが、そんなに都合よくはいきません。

そんな日々値段の変わるガソリンをお得に購入できる方法が毎回の**「定額」**給油。

定額購入は**「ドルコスト平均法」**と呼ばれ、株や投資信託などの購入に活用されている投資手法。一度にまとめて投資するのではなく、資金を分けて、**定期的に同じ額を継続して投資する**方法です。

価格が高いときは購入量が少なくなるため高値掴みを避けられ、安いときは多く購入できるためチャンスを逃しません。価格が頻繁に上下する場合、平均購入価格を抑えることができます。

■レギュラーガソリン価格

全国平均の小売価格の推移。社会情勢や為替の影響を受けて大きく変化しています。

出典：資源エネルギー庁のデータを抽出・加工して作成

ドルコスト平均法の仕組み

ドルコスト平均法によって、毎月一定額のガソリンを購入した場合と価格に関係なく同じ量を給油した場合の比較。

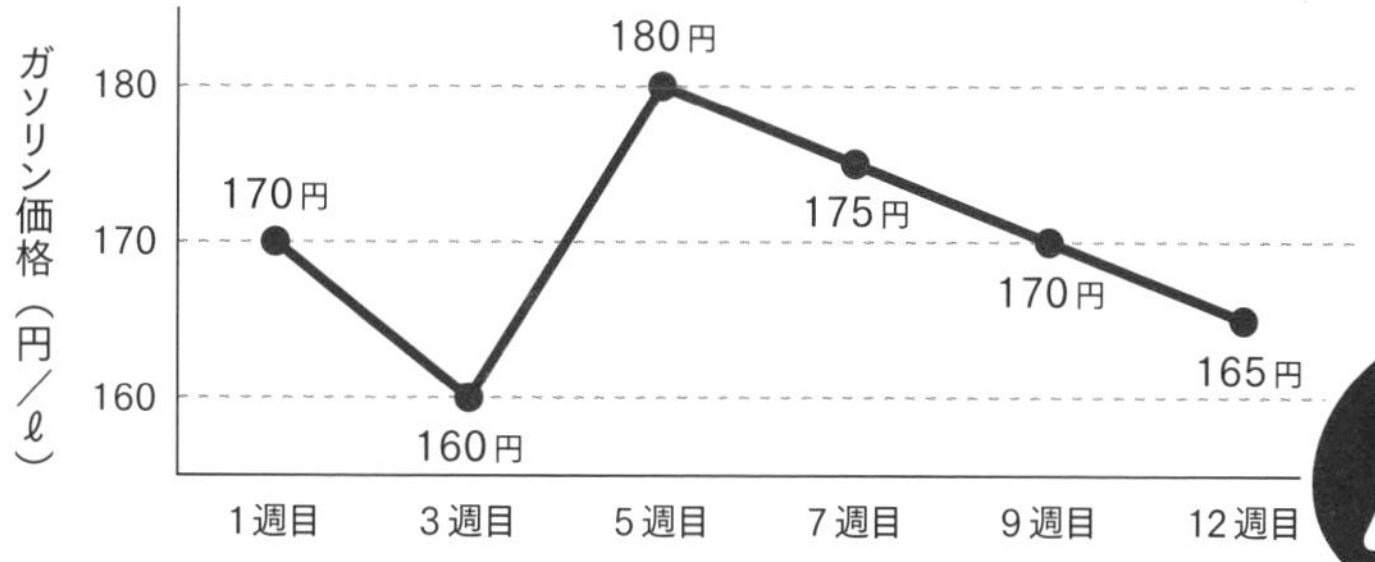

1ℓあたり
4円お得!

●隔週で3,000円ずつ給油　定額

1ℓあたり
169.4円

	1週目	3週目	5週目	7週目	9週目	12週目	合計
購入額	3,000円	3,000円	3,000円	3,000円	3,000円	3,000円	18,000円
購入量	17.7ℓ	18.8ℓ	16.7ℓ	17.2ℓ	17.7ℓ	18.2ℓ	106.3ℓ

●毎月35.5リットルずつ給油　満タン

1ℓあたり
173.3円

	1週目	3週目	5週目	7週目	9週目	12週目	合計
購入額	6,035円	ー	6,390円	ー	6,035円	ー	18,460円
購入量	35.5ℓ	ー	35.5ℓ	ー	35.5ℓ	ー	106.5ℓ

Point

その他のガソリン代の節約方法としては、「フルサービス」ではなく**「セルフ」**のガソリンスタンドへ行く。割高な高速道路のパーキングエリアやサービスエリアでは給油しないように気をつける。ガソリンスタンドの**「会員割引」**や、クレジットカードの**「割引特典」**を利用するなどがあります。最近では、家庭で契約している**「電力会社を変更する」**ことで、特定のガソリンスタンドで割引が効くカードを受け取れるサービスもあります。

Answer

高値掴みを避けるためにも、給油は毎回

定額!

お金が増える
使い方
は、どっち?

Question

家の購入は「将来貸せる場所に」「好きな場所に」

将来、他の誰かが住みたい場所を狙う

「家を買うと負債を抱えるうえ、売却のときに物件価格が下がっているリスクもある」——。

これが賃貸派の代表的な意見。たしかにその通りですが、いい家を買えば、逆に売却のときに値上がりしたり、賃貸に出すことで利益を生むこともできます。**いい家は負債ではなく資産**になるのです。

資産になる家を見極めるコツは、**「将来貸せる場所」**にあるかどうか。駅などの交通機関へのアクセスや、買物などの利便性、治安の良さや医療体制など、街の魅力が衰えず、誰もが住みたいと思える場所にある家がおススメ。

近年、ゲリラ豪雨や台風による水害が相次いでいます。地震などを含めた**災害に強い地域**であることも、家の資産価値に影響します。

■ 家選びのポイント

立地や周辺環境など、住宅を購入するとき
資産価値に関わるチェックしておきたい項目。

●周辺環境

- □昼間と夜間、平日と土日の日当たり、人通りなど
- □駅やバスなどの交通機関、学校や病院の位置

●住宅性能評価

- □耐震性、耐久性、省エネ性などが数値化されており住宅ローン優遇や地震保険料の割引を受けられる

●共有部分や隣家の状況

- □ゴミ置き場などの共有部分の管理状況（マンション）
- □敷地の境界線や窓の位置など（戸建て）

●災害の可能性の有無

- □ハザードマップ（国土交通省）で災害リスクを確認

総費用で考えるマンションVS戸建て

住宅ローンや、固定資産税などの維持費、管理費、修繕費用など
保有している間にかかる住居コストを50年分試算してみます。

住宅コストの比較

マンション

管理費	年20万円
修繕積立金	年15万円
固定資産税	年15万円
リフォーム	300万円

50年の総計
約2,800万円

戸建て

管理費	ー
修繕積立金	ー
固定資産税	年8万円
リフォーム	1,400万円

50年の総計
約1,800万円

管理費がかからず、固定資産税も安いため **1,000万円お得!**

Point

　家を探す際に参考にしてほしいのが、その**地域の歴史の長さ**。たとえば、昔ニュータウンと呼ばれた新興住宅地の中には、同世代が一斉に入居したことで後に街自体が高齢化し、若者がいないゴーストタウン化が進んでいる地域もあります。

　逆に歴史の長い地域はさまざまな世代が暮らしており、**定期的に若い人が入ってくる**ため、将来的に物件の価値が下がりにくいという期待があります。

Answer

家を買うなら、資産価値が下がりにくい 将来貸せる場所に!

お金が増える
使い方
は、どっち?

Question

住宅ローンは「一律平均払い」「ボーナス払い」?

ボーナスは必ずもらえるもの?

住宅ローンは、「ボーナス払い」を選んではいけません。なぜなら、ボーナスは**必ずもらえるわけではない**からです。保証がないうえに、転職してボーナスのない年俸制に変わるなど、給与の支払い方が変わったときに、住宅ローンを返済する難易度が上がります。

しかも、ローンの支払いは**最短で3回滞納してしまったらアウト**。購入したマイホームが、頭金ごと差し押さえられます。その後、銀行は債権回収会社へ物件を売り、債権回収会社による競売という流れへ。ボーナス払いにすることで、たしかに月々の支払いは抑えることができますが、滞納リスクをなるべく少なくしておくことを考えると、毎月定額を返済する**「一律平均払い」**がおススメです。

ボーナス払いは賢く使おう

ボーナス払いを使うならメリットとデメリットを理解したうえで計画的に利用しよう。

●メリット

- □月々のローンの返済を安く抑えることができる
- □月々の返済額に加えて、ボーナス返済を利用することで、返済期間を短くすることができる

●デメリット

- □一律平均払いよりも利子負担が増える
- □ボーナス支給額が減っても返済額は変えられない
- □ボーナスを住宅ローン以外に使いにくくなる
- □滞納により家を手放すリスクが高まる

ボーナス払いは返済額が増える

ボーナス払いを利用する際に決めるボーナス割合は、多くの場合、借入金額の50％が上限とされています。

● ボーナス払い割合による総返済額の違い

借入金額：3,500万円 / 借入期間：35年
適用金利：年0.675％（全期間固定金利）/ 返済方法：元利均等返済

ボーナス払い割合	毎月返済額	ボーナス時返済額	総返済額
0％	9万3,588円	0円	約3,931万円
10％	8万4,229円	14万0,450円	約3,931万円
20％	7万4,870円	18万7,315円	約3,932万円
30％	6万5,511円	23万4,178円	約3,932万円
40％	5万6,153円	28万1,042円	約3,933万円
50％	4万6,794円	32万7,905円	約3,933万円

ボーナス払いを利用すると **約2万円支払い増！**

Point

すでに「ボーナス払い」にしている人は、借入先の金融機関へ**「ボーナス払いと一律平均払いの割合の変更」**や**「ボーナス月の変更」**の相談を。変更内容によっては、借入先の金融機関や保証会社の審査を通す必要があります。借入から10年以上が経過している場合は、**他の金融機関への借り換え**も含めてご検討ください。ちなみに、ボーナスが当面なくならないであろう公務員の方は「ボーナス払い」でもよさそうです。

Answer

住宅ローンは転職時に影響を受けない

一律平均払い！

お金が増える
使い方
は、どっち?

Question

雨の日は「ビニール傘を買う」「タクシーに乗る」?

地域と移動距離で、使い分けよう

思いがけない雨に見舞われることの多い夏場。ゲリラ豪雨など、強烈な雨に降られ、慌ててコンビニエンスストアに駆け込み、当座しのぎでビニール傘を購入した経験は、誰しもあるでしょう。

昔はワンコイン（500円）で買えましたが、最近では**600円〜800円する**ものも珍しくありません。じつはビニール傘のほとんどは、中国など海外からの輸入品。為替レートや、さまざまなコストアップの影響を受けて、価格が上がっているのです。

一方、タクシーの**初乗り運賃**は、定期的に価格改定されています。地域と移動距離によっては、**ビニール傘を購入するより、タクシーに乗ってしまったほうが安上がり**です。

目的地に合わせた使い分けが重要です。

傘の年度別輸入推移

数量に対して金額が大幅に増加しており、
1本あたりの価格が上がっていることがわかります。

● 長傘の輸入数量

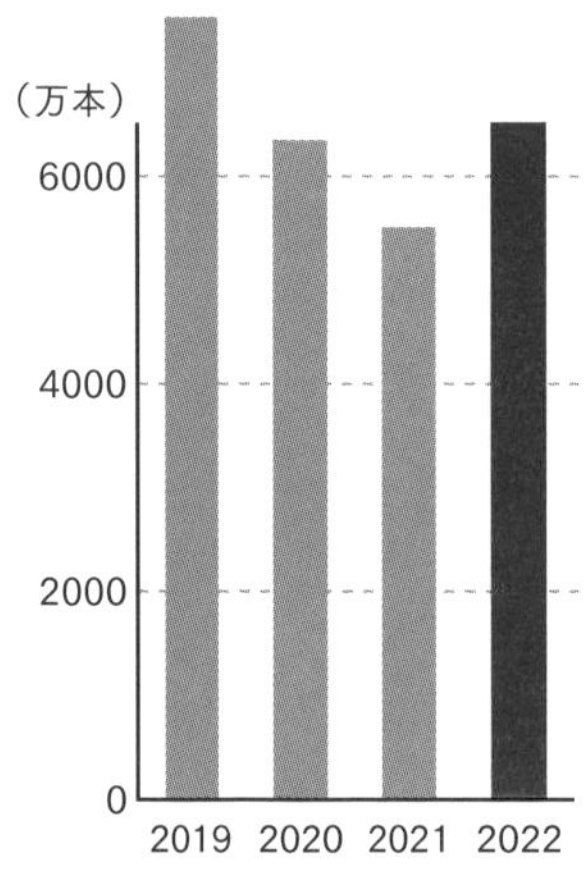

● 長傘の輸入金額

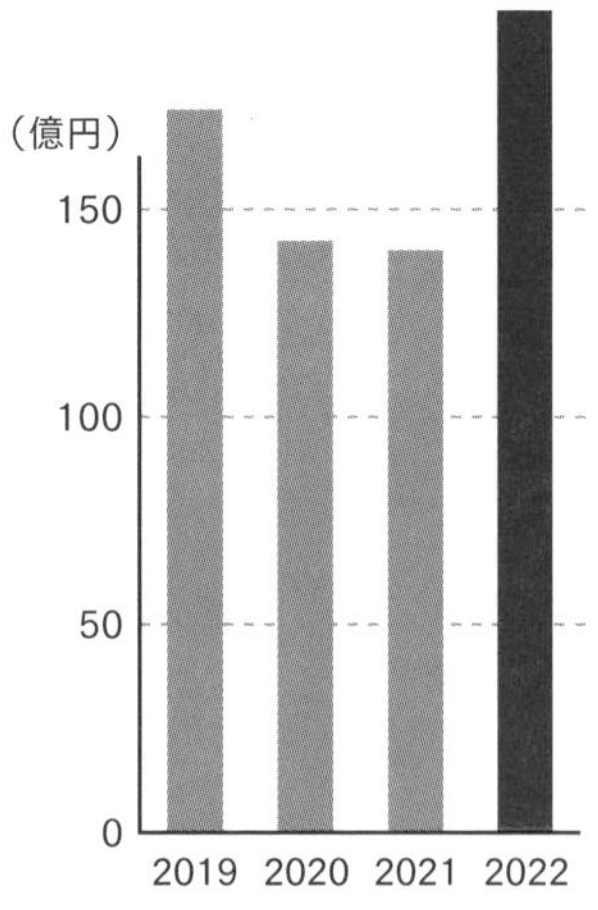

出典：財務省 貿易統計のデータを抽出・加工して作成

タクシーの地域別の運賃 〔距離制運賃〕

タクシーの初乗り運賃は、地域や車種によって異なります。
時間距離併用制運賃の場合、さらに運賃が上がります。

地域	初乗運賃	加算運賃
北海道・東北	1.24km 520円～	288m 80円～
関東	1.27km 470円～	280m 100円～
北陸・信越	1.22km 550円～	287m 100円～
中部	1.01km 470円～	247m 90円～
近畿	1.00km 450円～	310m 100円～
中国	1.50km 600円～	355m 90円～
四国	0.94km 540円～	279m 80円～
九州・沖縄	1.00km 470円～	193m 50円～

※ エリアごとの運輸局長により公示されている、一般乗用旅客自動車運送事業の公定幅運賃範囲の指定に関する情報を元に、本書作成時点での、普通車タクシーの地域ごとの距離制運賃の初乗り運賃の下限最安値を記載。

Point

雨に降られて、急にタクシーを探すと同じことを考える人も多く、なかなかつかまりません。そんなときに便利なのが、スマホ1つでタクシーを呼ぶことができる**「タクシー配車アプリ」**。

ここ数年で大手タクシー会社も参入し、タクシーをつかまえやすくなっています。**タクシーを探す手間がない**うえ、指定の場所に来てもらえるので便利。**乗る前におおよその料金もわかる**ため、ビニール傘と比較することも簡単です。

Answer

目的地が初乗り運賃の距離内であれば、迷わず **タクシーに乗る！**

お金が増える
使い方
は、どっち?

Question

高級品を買うなら「寝具」「バッグ」?

生活満足度が高まるお金の使い方

毎日長時間使うものから順にお金をかけることで、日々の満足度や幸福度を高める——この考え方を**「コンフォート原則」**といいます。休日しか使わないブランド品のバッグをいくら買っても、体の疲れを取ることはできません。むしろ、毎日6時間～8時間は使うベッドなどの**寝具**にお金をかけるべき。良質なものを使い、1日の疲れを癒やすことで、生活満足度を高めることができます。

同居の家族がいる人は、それぞれが**長く使う場所や道具にお金をかける**ことで、生活満足度を高めましょう。

生活満足度が高い人は、ストレスによる散財や体調不良などによる**余計な支出を減らせる**ため、お金が貯まりやすくなります。

コンフォート原則の具体例

生活スタイルによって、優先順位は人それぞれ。
1日の時間の使い方を振り返ることから始めましょう。

基本的に外出 仕事で使う道具を買って生活満足度アップ!

1日の使い方

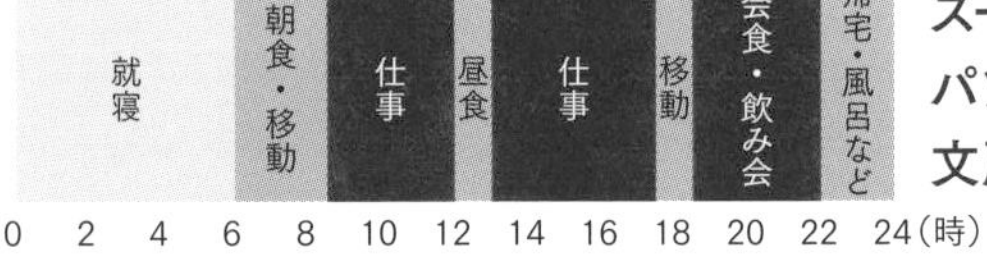

スーツ
パソコン
文房具 など

自宅で活動 部屋の居心地をよくして生活満足度アップ!

1日の使い方

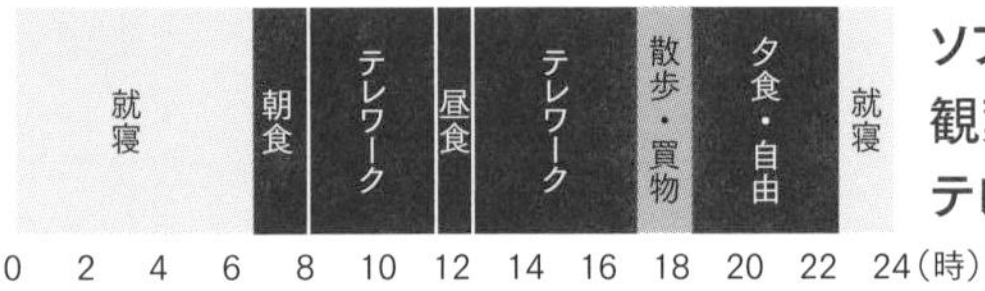

ソファー
観葉植物
テレビ など

使用時間と耐久性から考える優先順位

使用回数が多く、1回の利用時間が長いものからお金をかけることで生活満足度が高まる。さらにもの持ちがいいものを優先すれば、買い替えによる支出も減る。

Point

もの持ちがいいものは、長く使えるためその分**コストパフォーマンスがいい**と言えます。一方、そればかりにお金をかけて、消耗品にあまりお金をかけない生活をすることは非常に困難です。なぜなら、もの持ちがいいものは、初期費用が高くなるから。

自分の価値観と照らし合わせて、**メリハリのあるお金の使い方**をすることが重要です。長時間使うものにお金を使うことで快適な日々を送りましょう。

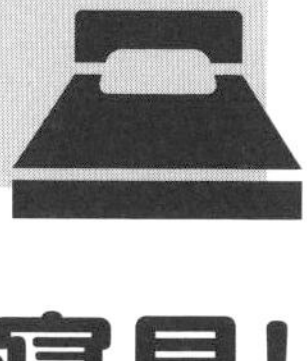

Answer

お金を使うならブランド品よりも毎日の生活の中で疲れを癒やし、生活満足度を高める寝具！

Column 1

銀行ATMが正解とは限らない

「コンビニのATMでお金を引き出すと、手数料がかかるので避けたほうがいい」

よく、こういうアドバイスを耳にします。

しかし、これは全員に当てはまるわけではありません。なぜなら、**コンビニは身近で便利な場所**にありますが、銀行のATMは必ずしも自分の近くにあるとは限らないからです。

ここで考えるべきは、**自分の時給**。わからない人は、月の給与を勤務時間で割り、自分の時給を計算してみてください。

たとえば、月30万円の給与をもらっている人の場合。1日10時間（8時間＋残業2時間）働き、月22日出勤した場合、時給は約1,360円となります。

コンビニよりも銀行のATMが遠く、往復の移動に15分以上の差がある場合、あなたの時給よりも、コンビニのATMでかかる手数料のほうが安くなります。

お伝えしたいのは、**お金と同じように、時間を大切に扱う**こと。時間は誰にも平等に流れますが、それぞれ有限です。しかも、いつ終わりを迎えるかは、誰にもわかりません。だからこそ、大切にしてほしいのです。

時間の管理ができない人は、たいてい**お金の管理**もできません。

なんとなく時間を過ごしてしまう人は、なんとなくお金を使ってしまいがちです。数分の遅刻を気にしない人は、数百円の支出を気にせず、いつの間にかかなりの金額を浪費していることが多いのです。

時間もお金も**「使うからには、それ以上の価値を引き出す」**と、考えることが大切。

インターネットや周りからのアドバイスについても、うのみにするのではなく、「自分の場合も当てはまるかな?」と一度考えることが賢明です。

2章

お金が増える
貯め方
は、どっち？

Which is the
best way to save
your money?

お金が増える
貯め方
は、どっち?

Question

銀行口座の数は「1つだけ」「2つ以上」?

生活費と、その他を引き出す口座を分ける

銀行で、普通預金口座を開設すると、特に申し出をしなければ「普通預金」と「定期預金」をひとつにまとめた**「総合口座」**の通帳を渡してもらえます。「総合口座」は生活費など、お金を頻繁に出し入れする「普通預金」と、将来のためにお金を貯めるための「定期預金」を一括で管理できます。

一見便利ですが注意点もあります。普通預金の残高が不足している場合、定期預金を担保に、一定額まで自動融資が受けられます。そのため、簡単に融資を受けてお金を引き出してしまい、結果的にお金が貯まりにくくなる人が多いのです。

お金を貯めるためには、簡単に手をつけられないよう、目的別に銀行を使い分け、**2つ以上の口座を持つ**ことが効果的です。

■ 銀行を選ぶときのポイント

給与を振り込む銀行を、自分で指定できる場合、
次の6つのポイントをチェックして口座を開設しましょう。

●利便性

□自宅や勤務先の近くに、店舗や ATM があるか

□インターネットで取引ができるか

●手数料

□ATM 利用手数料や振込手数料はいくらか

□手数料が割引や無料になるサービスの有無
例：「1カ月当たり○回まで無料」「○時まで無料」など

●サービス

□金融商品の品揃えや住宅ローンなど、
自分が利用したいサービスが揃っているか

□利用条件を満たすことで受け取れる特典の有無

給与口座と貯蓄用口座を分けよう

給与口座から貯蓄用口座へ、自動的にお金を移動させる設定をしておくと便利。給与口座を指定できるかどうかで、自動化の方法は異なります。

● 口座間の入金を自動化する例

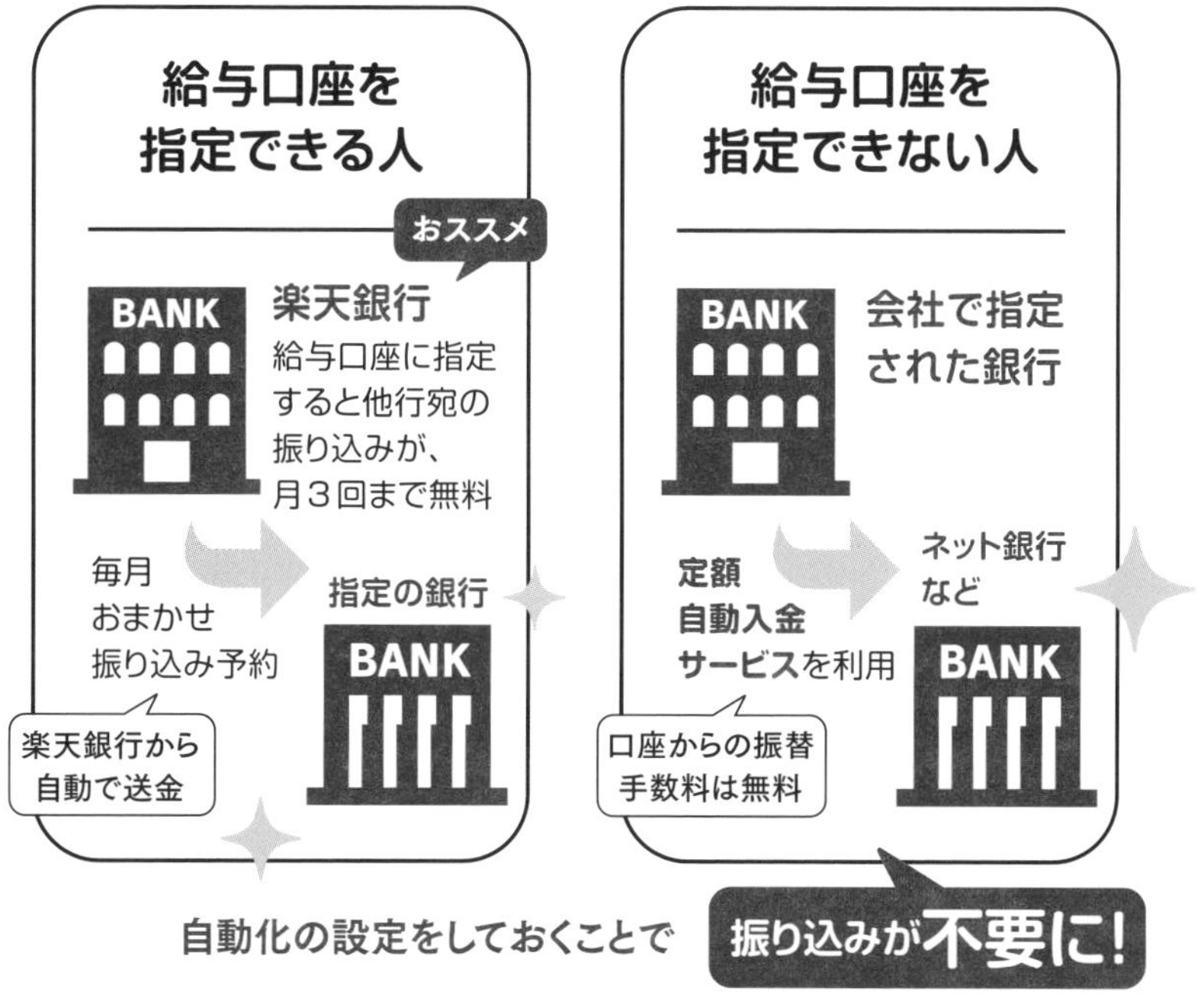

自動化の設定をしておくことで **振り込みが不要に!**

Point

口座や銀行を分けても、つい手を出して預金を使ってしまうという人には、**インターネット銀行や証券会社に口座をつくる**こともおススメ。積み立て定期預金や、積み立て投資の設定をすることで、お金が視界に入りにくくなり、途中で解約することも少なくなります。**手続きなどをわざと面倒にして、簡単にお金を引き出せないようにする**ことも、お金を増やす仕組み作りの1つです。

Answer

生活費を引き出すための口座と将来のためにお金を貯めておく口座の

2つ以上!

お金が増える
貯め方
は、どっち？

Question

毎月の貯蓄は「定額を天引き」「余った金額」？

貯蓄はゴールに向けて計画的に

毎月お金が**余った分だけ貯蓄**するという人。

じつは、お金が増える貯め方を目指すのであれば、毎月**定額を天引き**するのが断然おススメ。計画性のない貯蓄はなかなかうまくいきません。

一方で、とにかくお金を貯めようとするあまり、生活を切り詰めてストレスを感じるような無謀な金額を天引きしてもいけません。

考えるべきは、**貯蓄のゴール**。何年後に何のためにいくら必要なのかを見極め、そこから逆算することで適切な天引きの金額を決めましょう。

ちなみに、昇給・昇格により給与が増えた場合。天引きの金額を増やすことで貯蓄のゴールを前倒しして達成できます。

■ 先取り貯蓄がおススメ

毎月の収入から、先取りで貯蓄しておき、残ったお金で生活するスタイルがおススメ。

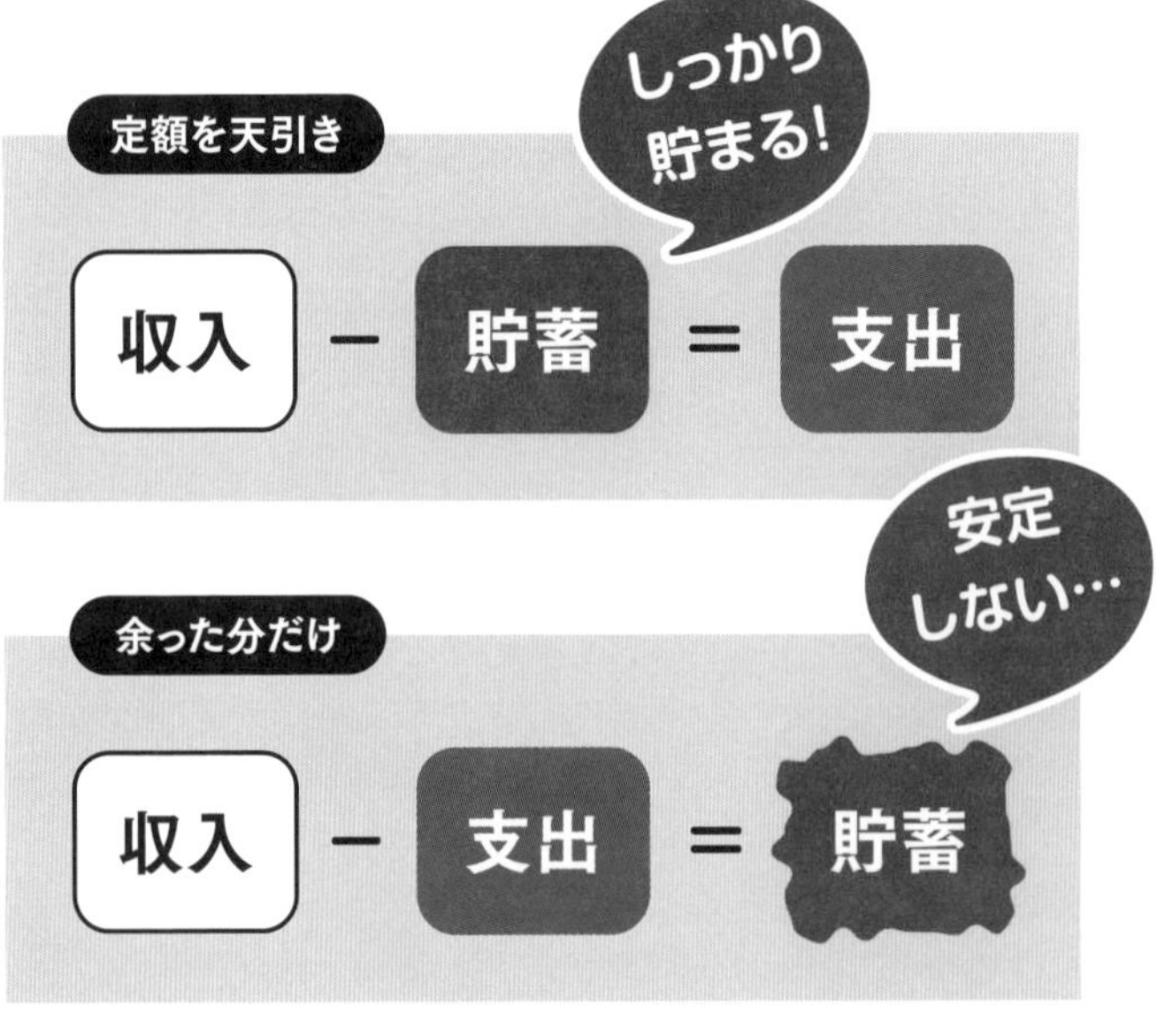

先取り貯蓄の預け先

銀行へ貯蓄するなら、金利の高いネット銀行がおススメ。
銀行口座にお金があると使ってしまう人には、給与天引きが効果的です。

● 預け先

金利の高いネット銀行	給与口座の指定や、証券会社の口座と連携することで、金利がアップ。キャンペーン時にはさらに金利が上がる。	金利の例 0.25%
財形貯蓄制度（給与天引き）	企業が提携する金融機関に積み立てる。「一般財形貯蓄」「財形住宅貯蓄」「財形年金貯蓄」の３種類がある。	金利の例 0.2%
社内貯蓄制度（給与天引き）	企業が貯蓄する仕組み。厚生労働省令で下限利率が決められており、現在は0.5%。奨励金を支給している会社も。	金利の例 0.5%

● 先取り貯蓄額の決め方

先取り貯蓄額 ＝ **直近3カ月の平均収入** － **直近3カ月の平均生活費**

収入が増えても

生活費はなるべく変えない！

Point

一般的な貯蓄のアドバイスに「手取りの○%を貯蓄しましょう」というものがありますが、**貯蓄を「割合」で決めるのは危険**です。なぜなら、収入が増えるとそれに連動して支出として使える割合も増えてしまうから。

インフレの影響を受けてものの値段は変わるため、一度決めたらずっとそのままでいいわけではないですが、余計な支出を増やさないためにも貯蓄は“金額”で決めておきましょう。

Answer

貯蓄のゴールに向かって計画的に貯蓄するために

定額を天引き！

お金が増える
貯め方
は、どっち?

Question

生活費を使い道で「分ける」「分けない」?

使い道はタイミングによって変わる

生活費を使い道ごとに分けておくという意見をよく耳にします。たとえば「袋分け管理」。生活費を食費・日用品・交際費などの使い道に合わせて複数の袋に振り分け、使った分だけ袋から抜き取るというものです。

この方法は、**家計の管理に慣れていない人**や、家計が火の車で**支出を厳しく制限しなければならない人**が使うのであればいいでしょう。

ただ、お金を増やすのであれば、生活費は使い道で**分けない**ほうがおススメ。

使い道で分けると、お金が残った際に、「余ったから使おう」という心理が働き、**不要な買物につながる**から。一つの財布の中で、バランスを取りながらお金を使えるようになりましょう。

夫婦のお金の管理方法

家計状況を共有し、支出を抑えることで
貯蓄や投資に回せるお金を増やしましょう。

● 夫婦で別々に家計を管理し、生活費のみ折半
◎ 管理が簡単／生活費以外は自由にお金を使える
▲ 世帯収支が不透明／支出が多くなりがち

● 一人が家計を管理して、生活費を相手に渡す
◎ 生活費を一定額にできる／お金が貯まりやすい
▲ 管理されている側は、世帯収支を把握できない

● 共有の口座を作り、生活費などを支払う
◎ 世帯収支を把握できる／支出に不公平感がない
◎ 生活費以外は自由にお金を使える
▲ 個人の支出が多くなりがち

◎ メリット　▲ デメリット

生活費を使い道で分けてしまうと……

一度決めてしまうと、なかなかそれ以外の使い道を考えなくなってしまうもの。
少額が残った際、たとえ使い道が同じでも、不要な買物は控えましょう。

● 3人家族の場合（子ども12歳）

使い道で分ける

食費
8万円…余り5,000円
（食費に使おう）

日用品費
3万円…余り2,000円
（日用品に使おう）

交通費
4万円…余り1,000円
（交通費に使おう）

教養娯楽費
3万円…余り2,000円
（娯楽費に使おう）

使い道で分けない

食費
8万円…余り5,000円

日用品費
3万円…余り2,000円

交通費
4万円…余り1,000円

教養娯楽費
3万円…余り2,000円

（合計）
余り10,000円

出典：内閣府「子どものいる世帯の年齢層別消費支出」、3人家族における子どもの年齢別消費支出（子どもの年齢12～14歳）を参考に試算

余ったお金をまとめることで **使える額が大きく！**

Point

家計の管理のコツは**「固定費」**と**「変動費」**を把握しておくこと。家賃や住宅ローン、水道光熱費、通信費など**毎月あまり変わらないのが「固定費」**。被服費、交通費、交際費など、**月ごとに変わるのが「変動費」**です。食費は生活スタイルによってどちらに加えるか変わります。年に一度、自分が何にいくらお金を使ったかを振り返るだけで、無駄遣いが減りお金を使うバランス感覚は磨かれます。

Answer

効果的な使い道を考えながら使えるようにするためにも、生活費は 分けない！

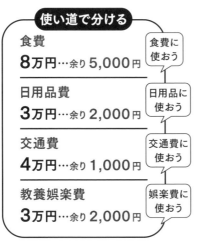

Question

電気の購入先は「新電力」「電力会社」？

電気の質はどちらも一緒

２０１６年に電力が自由化され、**新電力**（小売電気事業者）と契約が可能になりました。ガス、通信、商社、鉄道などさまざまな企業が参入したことで、プランやサービスは多様化しています。

どの事業者を選ぶかによって、**同じ電気を割安で利用**することができるようになったのです。

切り替えはカンタン。毎月届く検診票（電気使用のお知らせ）を用意して、インターネットで申し込むだけ。ボタン操作ひとつで、電気料金を安くすることができます。

ただし、**契約期間に縛りのあるプラン**には要注意。今後、転勤の可能性や、引っ越しを予定している場合は、契約期間と違約金の有無を必ず確認しましょう。

新電力を選ぶポイント

新電力ごとのプラン内容を比較して、
生活スタイルの中で一番お得になるものを選びましょう。

●供給エリア

□住んでいる地域が供給エリアに含まれているか

●料金プラン

□ライフスタイルに合ったプランがあるか

・時間帯によって料金が変わるプラン　など

□料金が燃料価格や市場の影響をどのくらい受けるか

●支払い方法

□クレジットカードや口座振替など、
自分が希望する方法で支払うことができるか

●会社の規模

□サービスを長期的に提供し続けられるか

新電力のプラン

新電力は、大手電力会社よりも電気代が安く、付帯サービスを受けられる特典もあります。自宅エリアを対象としている新電力を要チェックです。

● 4人家族 契約電力：50A、電気使用量：500kWh/月の場合

しろくま電力の場合	1カ月の電気代	新電力の電気代	年間でこんなにお得
北海道電力	19,948円	16,000円	63,376円
東北電力	16,733円	16,285円	21,661円
東京電力	16,597円	15,675円	26,739円
中部電力	15,363円	15,095円	18,311円
北陸電力	15,837円	13,445円	42,149円
関西電力	13,003円	12,383円	19,823円
中国電力	16,147円	13,166円	48,938円
四国電力	16,137円	12,844円	52,360円
九州電力	13,319円	13,330円	13,198円

出典：しろくま電力ホームページ
各電力会社の2023年6月以降適用の規制料金の料金単価、および各電力会社との比較表に記載の前提条件をもとに算出して比較。

年間で最大25%お得!

Point

会社勤めのため、電気は夜に多く使う場合、**日中の電気料金が高く、夜間の電気料金が安いプラン**がおススメ。他にもガス、携帯電話代金、インターネット回線などとセットで契約することで、**ポイントの還元や割引サービス**が受けられるプランもあります。

また、**アパートやマンション**であっても切り替えは可能。ただし建物全体で電力会社と契約を結んでいる場合は、切り替えができないケースもあるため必ずご確認ください。

Answer

電気の質が変わらずに、プランが豊富でさまざまなサービスを受けられる

新電力!

お金が増える
貯め方
は、どっち？

Question

使うべきは「公的支援制度」「会社の福利厚生」？

最大409・5万円も控除される!?

会社によっては、家賃補助や宿泊施設の割引制度など、**福利厚生**制度があります。もちろん使わない手はないのですが、忘れてはいけないのが、国や自治体による**公的な支援制度**の利用。

公的な支援制度には、助成金や補助金など**「お金がもらえるもの」**と、税金の控除など**「お金が戻ってくるもの」**の2つがあります。どちらも窓口での申請が必要ですが、一定期間毎月お金をもらえたり、一時金がもらえるなど、大きな金額になるものもあるので、積極的に活用したいところ。

最も一般的なものは住宅ローン控除。新築で認定長期優良住宅か認定低炭素住宅の条件を満たすと**最大409・5万円**（1年当たり上限31・5万円×13年間）の控除を受けられます（2024～25年入居）。

手当金・補助金は意外と多い

手当金・補助金は、国や自治体から告知されることが少ないため
自ら積極的に見つける必要があります。

●労働関係

- □失業保険（失業手当）
- □職業訓練受講給付金　□教育訓練給付金
- □介護休業給付金　□高年齢再就職給付金

●出産・子育て

- □出産育児一時金　□出産手当金　□児童手当
- □子育てファミリー世帯居住支援

●怪我・病気

- □高額療養費制度　□傷病手当金　□障害年金

●死亡

- □埋葬料・葬祭費　□遺族年金

申請すればもらえるお金

国や自治体は、さまざまな助成金・補助金・手当金を用意しています。「申請すればもらえるお金」なので、ぜひ利用しましょう。

	使える制度	
市販薬を購入	**「セルフメディケーション税制」** 年間の購入金額によって課税所得から控除 **例）年間6万2,000円分購入した場合**	**1万円還付**
レーシック手術	**「医療費控除」** 年間の医療費が一定額を超えると還付金を受け取れる **例）手術の費用が30万円の場合**	**4万円還付**
自宅の鍵を交換	**「防犯対策助成金制度」** 対象となる防犯対策（防犯性の高い鍵やセンサーライト防犯カメラなど）の費用の半分を助成	**最大1万円**
資格取得のため教育訓練を受講	**「一般教育訓練給付」** ハローワークから受講費用の一部が支給される **例）受講料10万円を支払った場合**	**2万円支給**
中学校卒業前の子どもがいる	**「児童手当」** 子どもの年齢に応じて毎月一定額が支給される **例）3歳未満の子どもがいる場合**	**年18万円**

※ 本人の所得税率が20%の人のケース。
※ 地方自治体によって、支援内容が異なる場合があります。

必ず申請!

Point

人口の減少が進む地方では、**移住希望者向けに独自の支援制度**を用意しています。「住宅用地の購入を補助」をはじめ「自動車学校の講習費用を補助」「テレワーク助成として機器代や交通費を助成」「移住により長距離通勤となった人へ新幹線定期代を補助」「子牛1頭を支給」「おむつ購入費を助成」など、ユニークな制度が盛りだくさん。ぜひ自分の住んでいる自治体のホームページをチェックしてみてください。

Answer

窓口に並ぶ時間や手間を考慮してもおつりがくる

公的支援制度!

お金が増える
貯め方
は、どっち?

Question

収入が増えると支出は「増える」「減る」?

収入が増えても生活レベルは変えない

高収入になるほど「収入が増えているのに、貯蓄が増えない人」の割合が増えます。これは収入の増加とともに、より高価なものが買えるようになることで生活レベルが上がり、支出が増えるという現象。

また、収入が上がるほど税金を多く支払うため、それを考慮せずにお金を使うと、以前よりもお金が貯まりにくくなります。

逆に**「収入が増えるにつれて支出は減る」**という人もいます。そのほとんどが自分の知識や経験を人に伝えて人脈を広げることで、お返しに商品やサービスを提供してもらっている人たちです。

自分の持つ知識などの**無形資産を活用**することで、お金という**有形資産の流出を抑えられる**人は、上手にお金を増やすことができるのです。

「ライフスタイル・クリープ」とは?

収入が増えるほど、生活水準を上げて、慣れてしまう状態のこと。本当に必要な支出を見極めましょう。

年収 300万円	→	年収 600万円	支出の見直し	年収 600万円
● 生活費 11万円	→	● 生活費 21万円	→	● 生活費 16万円
● 住居費 7万円	→	● 住居費 13万円	→	● 住居費 10万円
● 教育費 1万円	→	● 教育費 2万円	→	● 教育費 3万円
● 貯金 1万円	→	● 貯金 3万円	→	● 貯金 10万円

本当に必要な分だけ

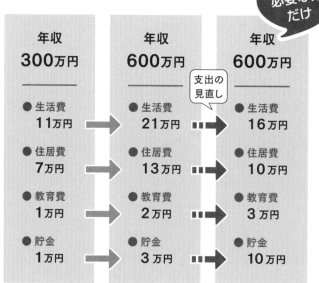

お金よりも価値を持つ無形資産

知識や人脈などの無形資産は、すぐにお金に換算できないものの将来的に有形資産と同等かそれ以上の価値を得ることができます。

無形資産の例	将来の価値
経験、知識	コンサルティング業・セミナー業
技術、資格	出世・資格手当による報酬増
スキル、ノウハウ	副業、起業、転職
信頼	割引や支払いの先送り（ツケ）
人脈・人的ネットワーク	スムーズな交渉、チャンスの拡大
情報	情報提供、記事や本の執筆
健康	治療における費用負担
思い出	プライスレス

可能性は無限大！

無形資産が、将来の有形資産を生む源泉

Point

生活レベルを上げないコツは**「目の前の幸せ慣れを防ぐ」**こと。

以前より生活が豊かになっているにもかかわらず、それに慣れるとより多くの幸せを求めて、さらにお金を使ってしまうものです。家具を買い替えなくとも、部屋の**レイアウトを変更**するだけで新しい気づきや刺激は得られます。普段から何度も使っているサービスであっても、新しい発見をすることで、満足度が上がり、それ以上を求めにくくなるものです。

Answer

収入が増えても、生活は変えない。無形資産を活用することで

支出は減る！

お金が増える 貯め方 は、どっち?

Question

先に考えるのは「ライフプラン」「マネープラン」?

目的に沿って効果的にお金を増やす

「ライフプラン」は、**理想の人生を実現するための計画**。結婚、出産、子どもの教育、住宅の購入や老後の生活など、個人の価値観や優先順位によって人それぞれ異なります。

一方「マネープラン」は、ライフプランを実現するために**必要なお金を用意する計画**。いくら貯蓄をして、何にいくら投資するか、ローンがあればいつまでに返済するかなどを計画します。

実際、投資先選びなどのマネープランを考えている人は多いもの。しかし目的もなく立てたマネープランで、ライフプランを実現できるとは限りません。**必要なときに必要なお金を使える**ようにしておくためにも、先に立てるべき計画はライフプランです。

ライフプランを立てよう

今後受け取るであろう給料や、退職金、年金などの「収入」と日常生活や将来必要となる「支出」を見える化しましょう。

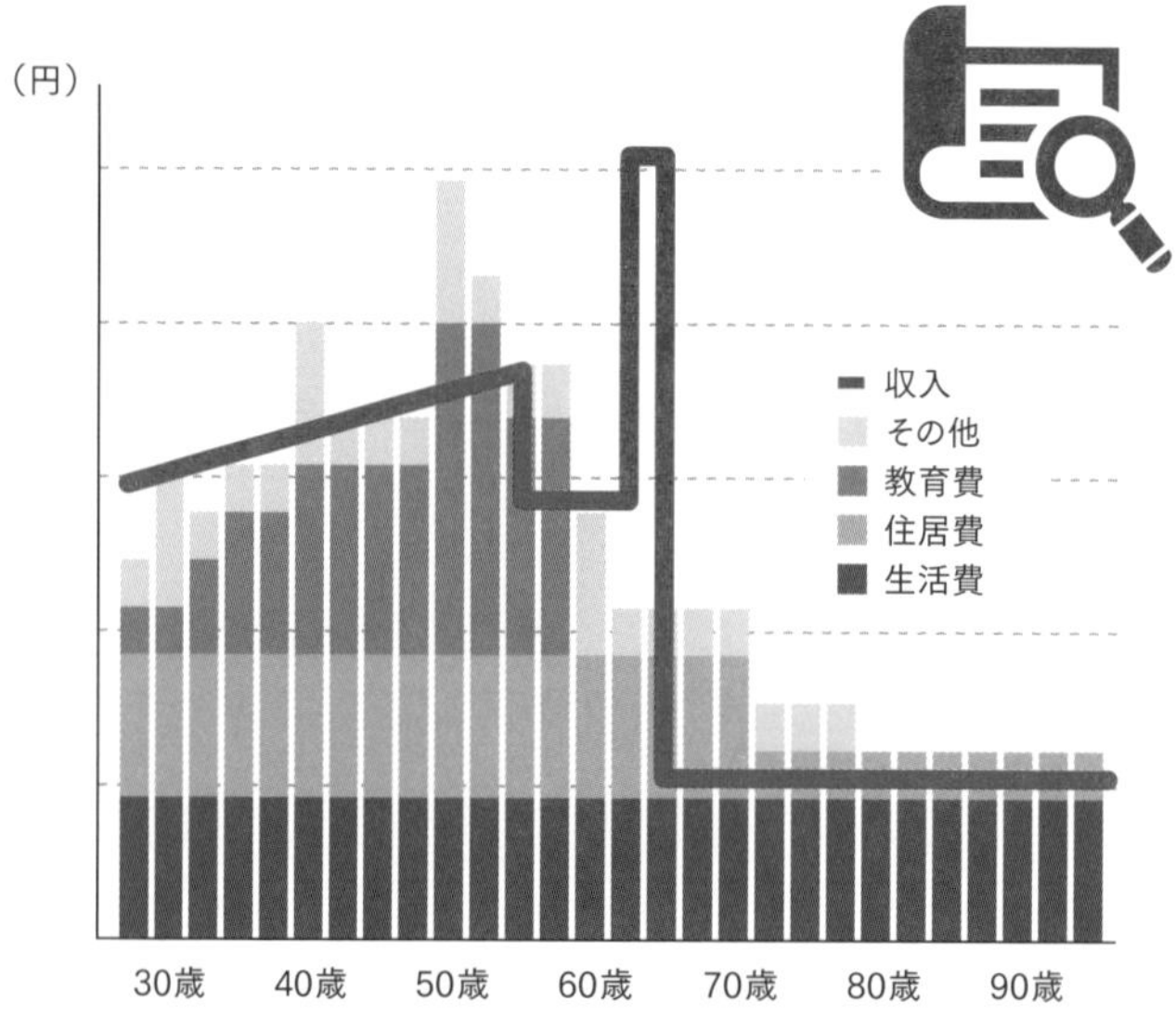

マネープランを磨き上げよう

ライフプランを実現するために、貯蓄や投資による資産の増加やローンの借り換えなどで支出を削減し、マネープランを立てましょう。

マネープラン 見直し前 の金融資産残高の予想

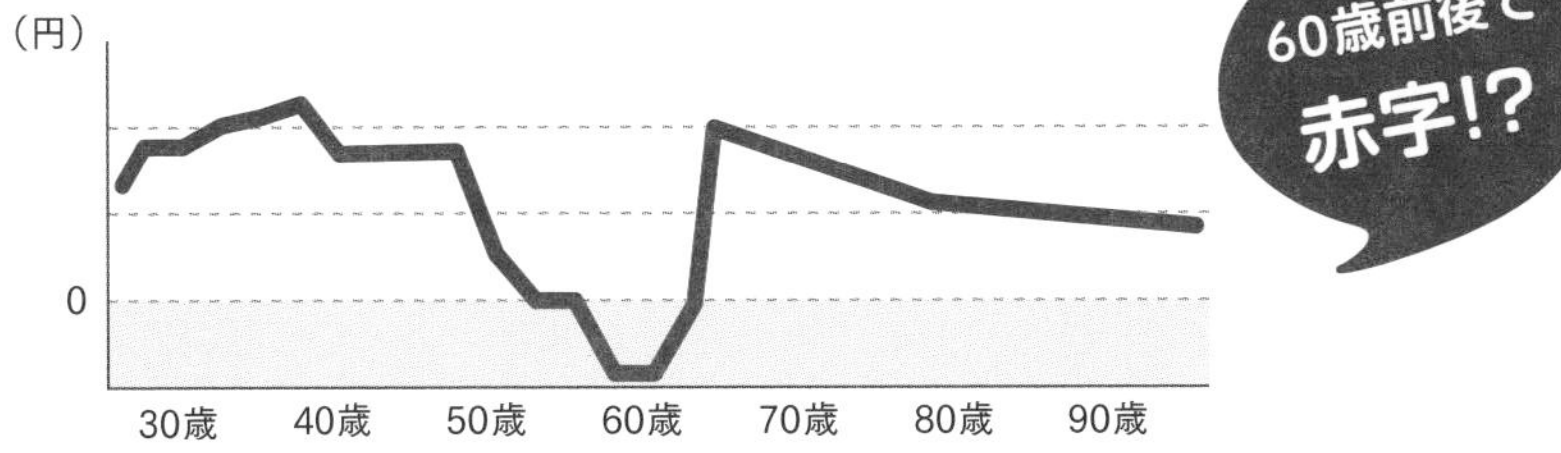

住宅ローンの借り換え

余剰金で資産運用

支出の見直し

親からの生前贈与

マネープラン 見直し後 の金融資産残高の予想

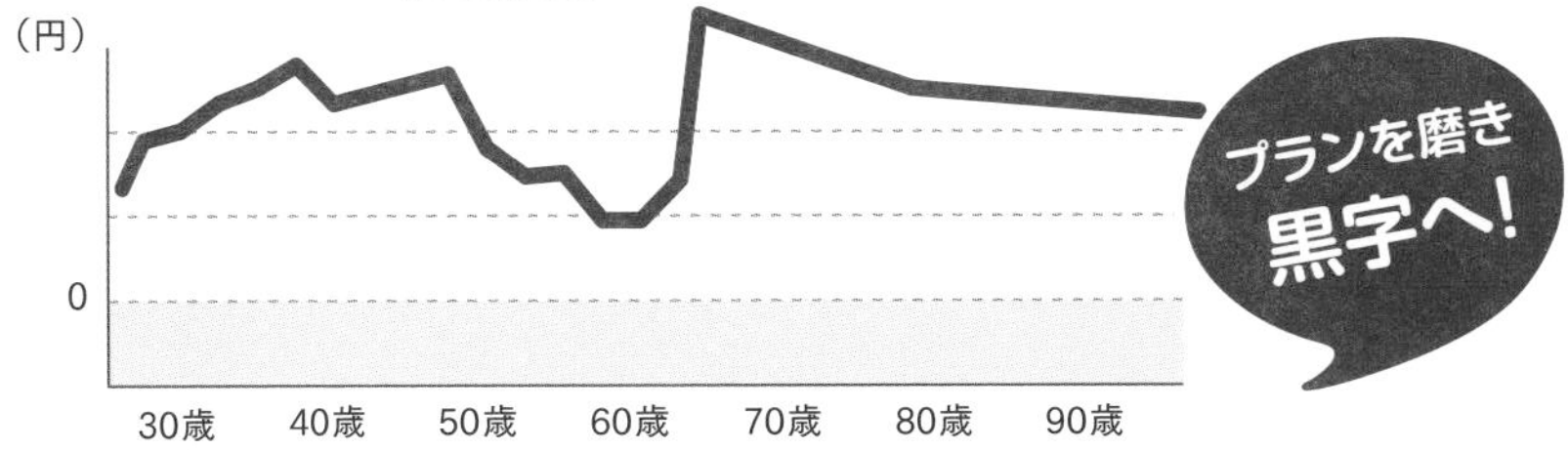

Point

ライフプランを立てると、目標を叶えるために残された時間や、必要な資金が明確になります。次にマネープランとして、検討することは**❶支出を減らす❷お金を増やす❸収入を増やす**の3つ。❶と❷は、早いうちから効果を実感することができます。❸は出世、転職、副業など効果が出るまでに時間がかかるものですが、いずれも**生涯使える経験とスキルが身につく**もの。今日から考えて行動していきましょう。

Answer

理想の人生を実現するために、まず考えるべきは

ライフプラン!

お金が増える
貯め方
は、どっち?

Question

老後の資金は「自分で用意」「公的年金に頼る」?

老後にいくら必要かは人それぞれ

「老後2000万円問題」——金融庁が「平均的な高齢夫婦の世帯は、毎月約5万円赤字になる」と公表して、大きな話題になりました。

老後に向けた資産形成への意識が高まる一方で、2000万円も用意できないという人も続出し、不安が広がったのはご存じのとおり。

でも、ご安心ください。この金額は**あくまでも平均値**であり、誰もが必ず不足するということではありません。とはいえ、国内外への旅行や、趣味にお金を使いたいのであれば、それ相応のお金を自分で用意する必要があります。

公的年金に頼るあまり、必要なときにお金を工面できず、残念な思いをしたくはありませんよね。自分に必要な分だけ、老後資金を準備しましょう。

老後2,000万円問題とは?

金融庁レポートで「老後30年間で約2,000万円が不足する」と発表されて議論が起きた、老後の資産形成に関する問題。

高齢夫婦無職世帯の平均収支

夫65歳以上、妻60歳以上の夫婦のみの無職世帯

実収入 209,198円 − 実支出 263,718円 ＝ 毎月の赤字額 約5.5万円

年間66万円 ×30年 ＝ 約2,000万円必要!?

出典：金融庁「高齢社会における資産形成・管理」2019年6月

老後資金の増やし方

ゆとりのある老後生活を送るため、必要な老後資金を準備しましょう。
貯蓄や投資など、複数の方法をバランスよく行なうといいでしょう。

● 増やし方

増やし方	特徴と効果	
働き続ける	65～69歳の平均年収 **342万円**	➡ 70歳以上の平均年収 **298万円**
公的年金を繰り下げ受給	75歳まで受給開始を繰り下げると……	➡ **受給額が最大84%増**
新NISA	口座全体で保有できる金融商品の金額上限	➡ **最大1,800万円**
iDeCo	一度にまとめて受け取る場合、退職所得控除が適用 例）**勤続年数30年の場合**	➡ **非課税分1,500万円**

出典：国税庁「民間給与実態統計調査」（令和4年分）

● 必要な老後資金の計算方法

計算してみよう!

必要な老後資金 ＝（毎月の生活費 － 毎月の収入）× 老後の生活期間 ＋ その他の支出

Point

公的年金の給付水準の目安に**「所得代替率」**があります。所得代替率とは、年金を受け取り始める65歳時点の年金額が、現役世代の手取り収入（賞与含む）額と比較してどのくらいの割合になるかを示したもの。財務検証によると、2019年に61.7%だった所得代替率は、今後経済成長が悪いケースに振れた場合、**2040年代で50%程度になる可能性**があると書かれています。年金は現役時代の収入の半分程度と考えておきましょう。

Answer

国の制度に頼りすぎることなく老後資金は自助努力で作る!

自分で用意!

お金が増える
貯め方
は、どっち？

Question

年金の受給は「必要なときから」「65歳から」？

年金額を無理なく最大化しよう

公的年金は老後に決まった金額が支給される制度。支給開始は60歳〜75歳。支給率は**65歳からの支給開始**を100%とし、支給開始を早めると減額、遅らせると増額される仕組みです。

ちなみに支給開始を60歳まで繰り上げると24%の減額、75歳まで繰り下げると84%の増額と大きな違いがあり、**支給率は生涯変わりません**。「繰り上げて後悔するのはこの世、繰り下げて後悔するのはあの世」とも言われるほどですから、支給開始の申請は慎重にしましょう。

公的年金額を最大化するコツは、60歳時点で保有している金融資産を上手に使い、支給開始のタイミングを1カ月でも長く繰り下げること。公的年金は自分が**必要なときから受ける**ことをおススメします。

年金の仕組みをおさらい

年金は4階建て構造。立場によって受け取れる年金と上乗せできる年金が変わります。

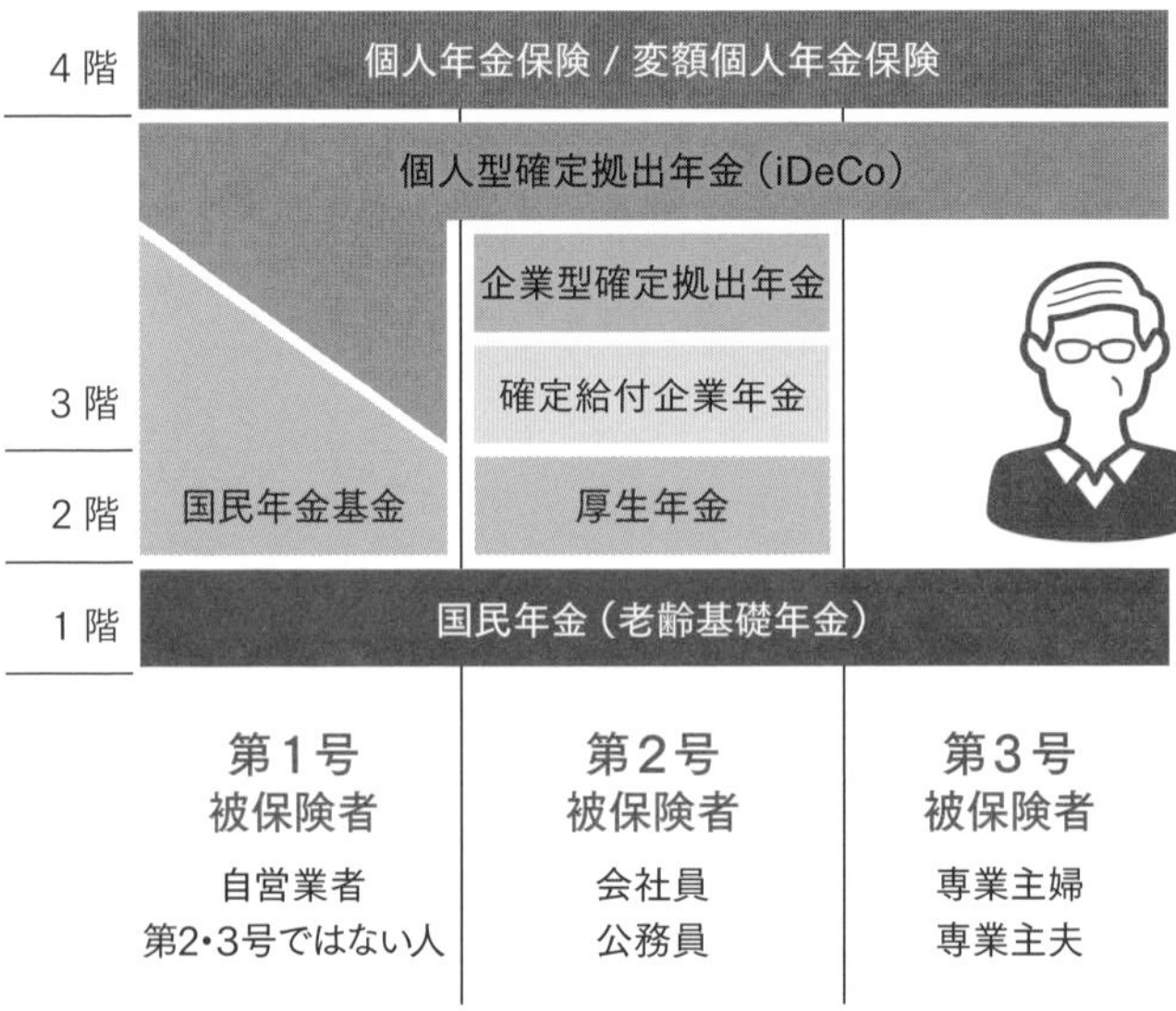

年金改正で75歳繰り下げも可能に

年金の受給開始を75歳まで繰り下げられるようになりました。
老後の生活費や、資産状況に合わせて決めましょう。

● 年金受給開始の繰り上げ・下げの増減率

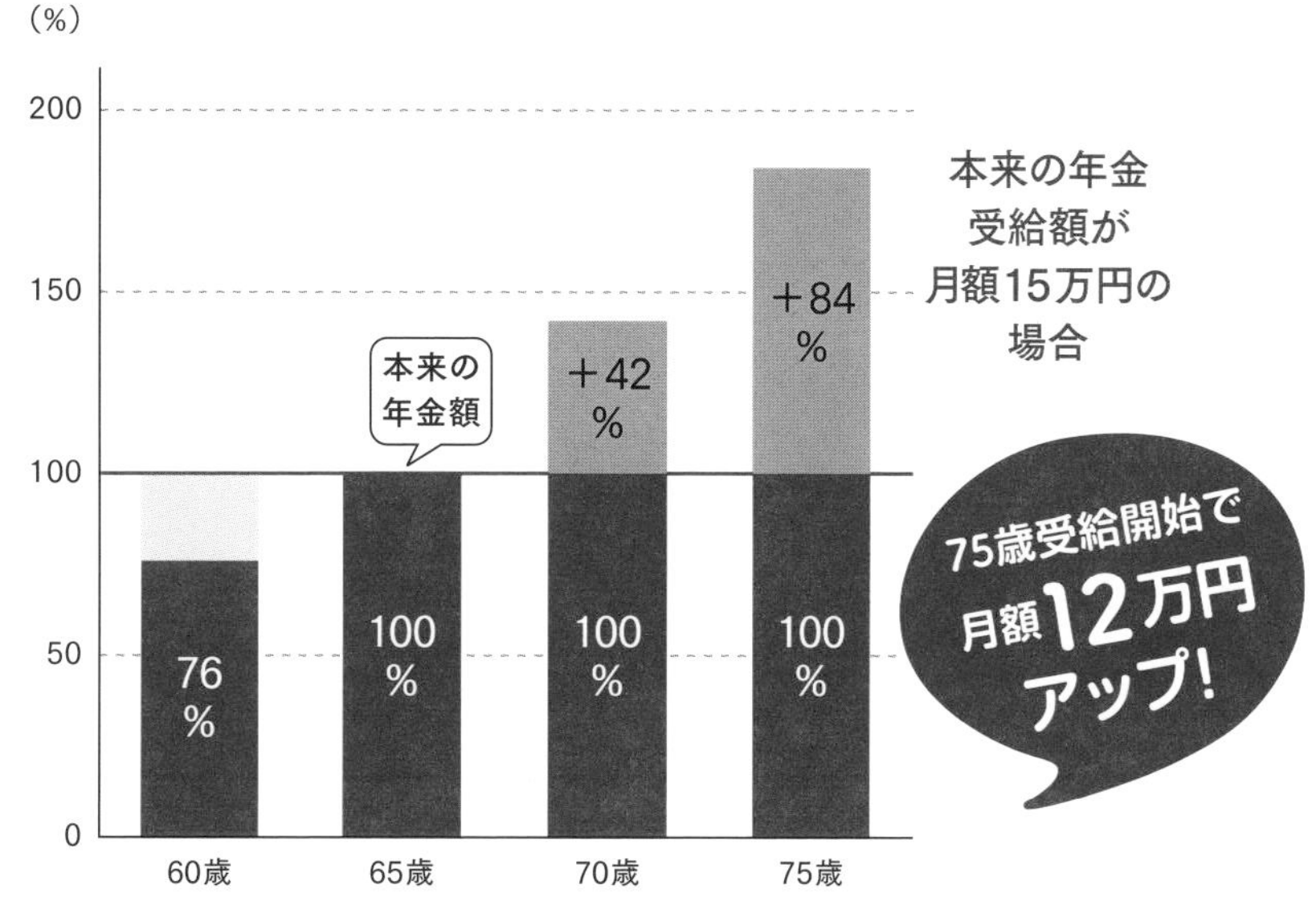

※ 所得税、住民税、国民健康保険料（75歳以降は後期高齢者医療保険料）介護保険料の支払いは考慮していません。

Point

60歳時点で保有する金融資産の予測は、アプリやファイナンシャルプランナーの持つ**投資効果の試算ツール**や**ライフプランのシミュレーションソフト**を使うことで把握できます。

60歳以降で車の買い替えや、家の修繕など、まとまったお金が必要な場合はそれらを除き、残った資産が何年分の生活費に充当できるかを計算しましょう。6年以上の結果が出た人は、繰り下げ受給による年金の増額が期待できます。

Answer

公的年金の受け取りは受給額を最大化するため 必要なときから!

お金が増える
貯め方
は、どっち？

Question

収入を増やすなら「起業」「副業」？

いつかは起業したいものの……

出世しても給与が頭打ちとなれば、仕事ができる人ほど「起業」を考えるものです。とはいえ、**会社の生存率は創業10年で約6％**と言われるなど、厳しい現実も待っています。

そこでおススメなのが、会社員として働きながらお金を稼ぐ**「副業」**。最大のメリットは、本業の収入によって生活が安定しているため挑戦しやすいこと。副業禁止の会社に所属しているなら、将来の転職や起業を見据えてボランティアとして参加し、経験を積んでもいいでしょう。

収入が本業を超えるなど軌道に乗った後で、副業を本業にすればいいのです。目先の利益よりも、**自分のやりたいことや趣味・特技を活かす仕事**を選ぶと、続けやすくなります。

副業のメリット・デメリット

本業とは別の事業を営む「副業」。現在の職場を退職せずに、新たなビジネスに挑戦できます。

●メリット

- □本業以外の収入を得られる
- □本業の収入があるため、経済的なリスクが少ない
- □自分の事業であるためやりがいがある
- □軌道に乗れば独立も考えられる

●デメリット

- □休日に休めず、プラベートの時間が減る
- □本業に支障をきたす可能性がある
- □結果が出るまで時間がかかりがち

副業はどのくらい稼げるの？

年代別に見ると、20代～30代の平均月収は3万5,000円前後、40代以上は6万5,000円程度となっています。

● 副業の月収

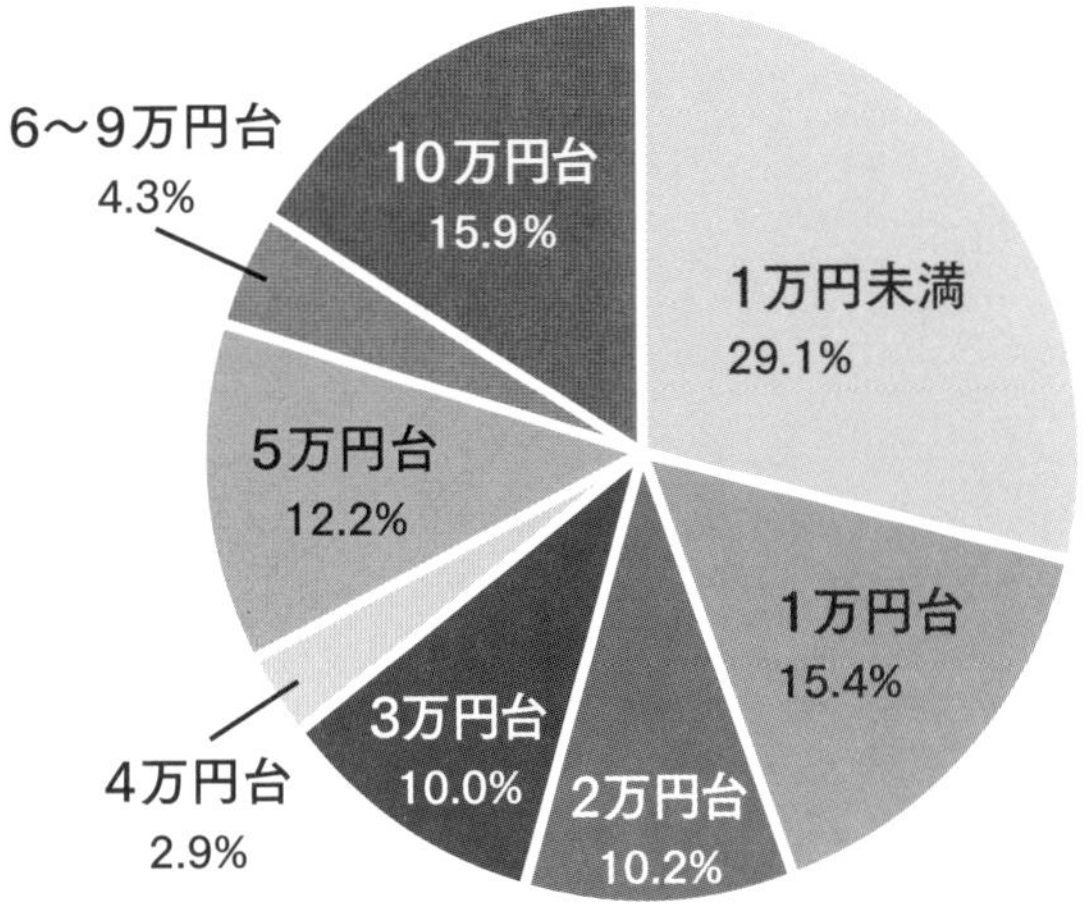

平均月収
51,218円

スキルや経験を活かして
年間60万円の収入！

出典：doda「副業の実態調査【最新版】」2023年3月

Point

副業から起業を成功させるポイントは3つあります。**❶本業の手を抜かない**──本業が疎かになってしまい、降格や減給されると本末転倒です。**❷スキルを磨き仲間を集める**──必要なスキルアップを図り、相談できる同業の人脈や専門家を増やしましょう。**❸起業までの計画を立てる**──必要な作業・資金・時間など、細かく計画を立てましょう。それぞれを積み重ねることで、成功への道筋が見えてきます。

Answer

安定した生活を送りながら
将来に向けてチャンスの種を蒔くことのできる

副業！

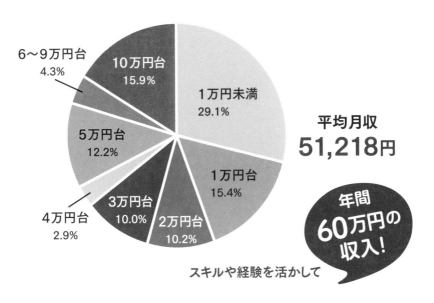

お金が増える
貯め方
は、どっち?

Question

お金の価値を守るなら「貯蓄」「投資」?

インフレが進むとお金の価値は……

子どものころに親から「貯蓄をしていればお金が増える」といわれた人は多いのではないでしょうか。それは1970年代に郵便貯金の金利が6%を超えるなど、**銀行に預けておけば確実にお金が増えた経験**によるもの。

しかし今の銀行は、金利が年0・01%ほどに低下。銀行に預けることでお金が増えるという時代ではありません。むしろ、インフレによりモノの値段が上がっており、**預けたお金の価値が目減り**しているのです。

そこで、インフレに合わせて価値の上がるものにお金を交換しておくことが効果的。たとえば**投資**です。投資の種類は豊富にあり、投資方法もさまざまです。選択に悩むなら、専門のアドバイザーへのご相談をおススメします。

■ 20年前と現在の値段

首都圏の中古マンションのように
20年間で値段が倍以上になっているものも。

	20年前	現在
首都圏中古マンション	約1,800万円	約3,800万円
プリウス	(2代目) 約237万円~	(5代目) 約275万円~
私立大学の学費	約81万円	約93万円
ガソリン(レギュラー)	約100円	約170円
郵便料金(ハガキ)	50円	63円(2024年に85円になる見通し)

物価が上昇するとお金の価値は下がる

お金を現金のまま持っている場合、インフレが進むことで
金額が同じでも実質的な価値は目減りしていきます。

● インフレが進んだ際の1,000万円の価値の推移

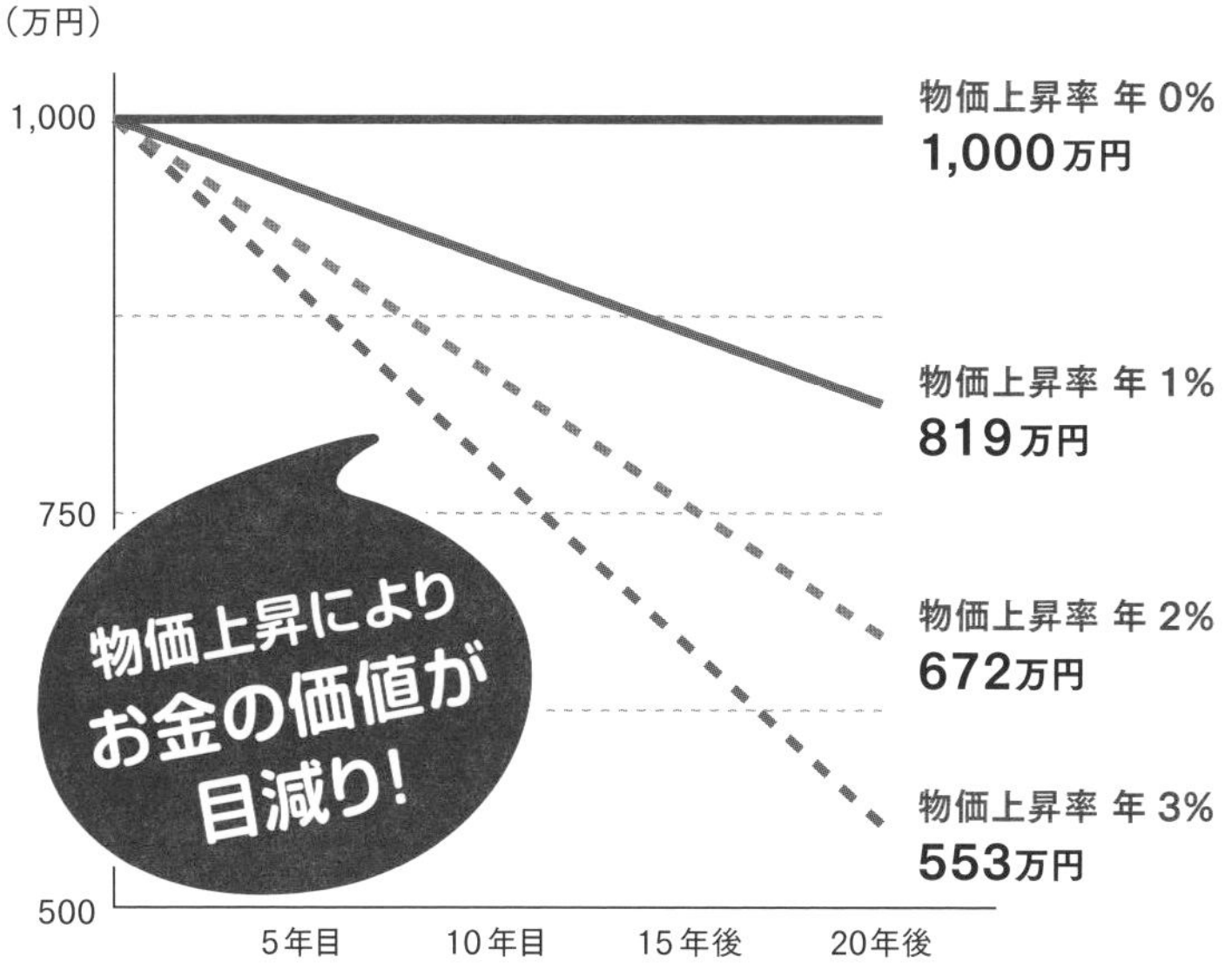

Point

投資により、お金を増やせる期待値は上がります。ただ、急な病気や故障に伴う大型家電の買い替えなど、**突発的にお金が必要**になったとき、手元にお金がないと困ります。そこで、**生活費半年分ほど**のお金は、銀行へ預けておくといいでしょう。銀行への貯蓄は“増える”という点では見劣りするものの、元本割れしないため“守る”という点では優れています。
貯蓄と投資をバランスよく行なうことが大切です。

Answer

インフレに合わせてお金の価値が上がるように、始めるなら

投資！

Column 2

「まずは一度、試してみる」――お金が増える習慣

現在の状況よりも良くなるとわかっていても、変化を避けて現状維持を選んでしまう傾向を**「現状維持バイアス」**と呼びます。お金の増える機会を奪っていることも多いため、注意が必要です。

わかりやすい例は、**貯蓄から投資へ**のシフト。良さそうとわかっているけれど、口座の開設が手間で、金融商品を選ぶのも面倒だと考え、そのまま貯蓄を続けている人は、とても多いです。

健康に良いとわかっていても運動を始めなかったり、体に害があるとわかっている煙草がやめられないケースも同様です。これらは、将来病気になってしまうことで、**お金が減る原因**にもなります。

現状維持バイアスを外すコツは、自分の中で**「まずは一度試してみる」**というルールをつくり、実践することです。

投資であれば、一度に複数ではなく、1つの金融商品から試してみるといいでしょう。積み立てであれば、引き落とし額を数万円ではなく、数千円から始めればいいのです。

その他にも**「ビジネス書を1冊読んだら、書いてあることを1つ試す」「セミナーや勉強会に参加したら、学んだことを1つ試す」**といったように、行動を変えてみてもいいでしょう。

もちろん、自分に合わないと思えば、やめてかまいません。

変化を受け入れる習慣が身につくことで、国の制度や、社会の求める働き方の変化へ、スムーズに対応できます。

変化による新しい学びから身についたスキルを、仕事や転職に活かすことを**「リスキリング」**と言います。お金を稼ぐための重要な活動として、今後も注目されるでしょう。

変化を続けることで、お金の増えるチャンスは、どんどん増えていくのです。

3
章

お金が増える
増やし方
は、どっち？

Which is the
best way to grow
your money?

お金が増える
増やし方
は、どっち?

Question

資産を増やす近道は「出世」「投資」?

成長スピードが速いのは?

資産（資本）によって得られる富は、労働によって得られる富よりも成長が早い――。

これは、フランスの経済学者トマ・ピケティ氏が著書『21世紀の資本』で明らかにした衝撃の事実。「出世」するよりも、株式・債券・不動産などを保有するほうが、資産をつくりやすいということ。つまり、「**豊かなものがより豊かになる**」少し残酷な現実が明らかになったのです。

もう、「投資」から目を背けることはできません。

とはいえ、株式を買うにはまとまった元手が必要。そこで手始めにおススメなのが**投資信託**。少額から始められて、預けたお金を金融のプロが儲かりそうな銘柄を選んで運用してくれる金融商品です。

財産の成長率 > 賃金の成長率

米国など主要富裕国を調べると、国民の所得に占める金融投資や不動産収入などの資本所得が増えています。

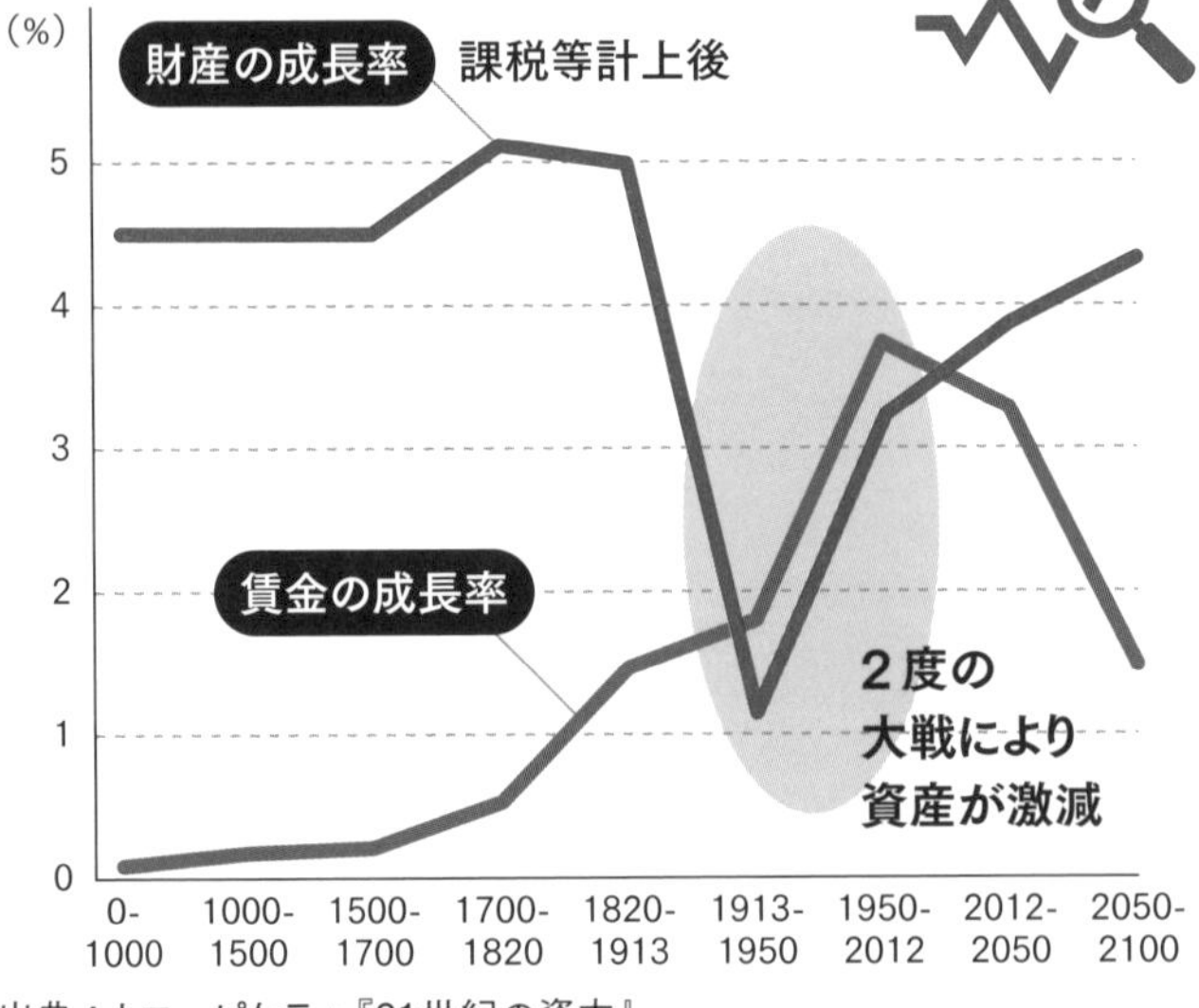

出典：トマ・ピケティ『21世紀の資本』

投資先によって異なるリスクとリターン

「リターン」は投資から得られる“収益”、「リスク」は価格変動の“幅”。
それぞれの投資先の特性を参考に、自分の考えにあったものを選びましょう。

● リスクとリターンの関係

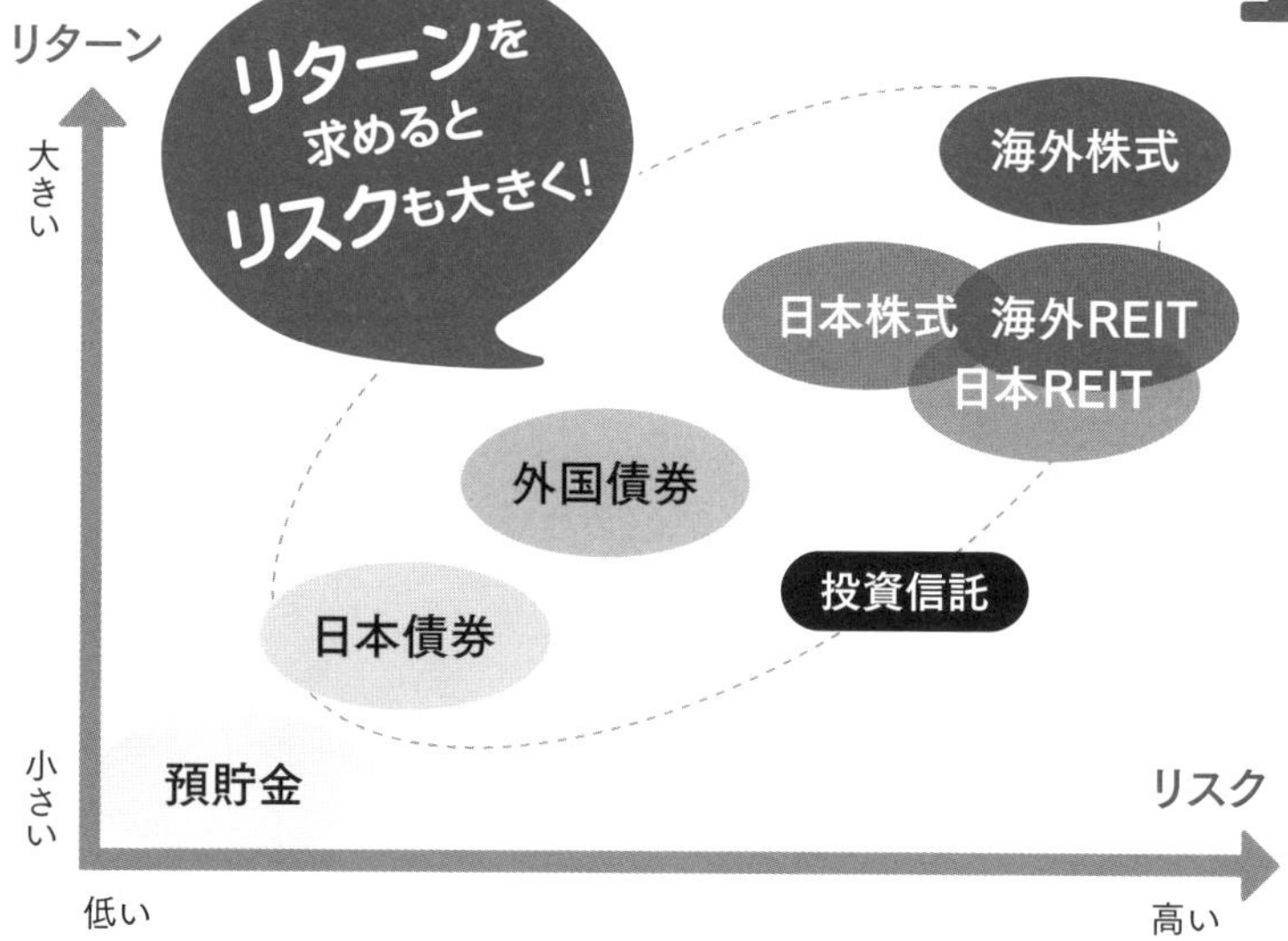

※ 過去のデータを元に作成した、一般的な各投資先のイメージ。

Point

成人の10人に7人は買ったことがあると言われる**「宝くじ」**。しかし、還元率（払い出される額／支払った額）は50%を切っており、買った瞬間に戻ってくるお金の期待値が半分となるギャンブルです。ちなみに、**競馬・競輪・競艇**は、還元率が75%前後、**パチンコ・パチスロ**は80～85%ほど。手数料などを差し引いても95%以上が投資に回る、株や投資信託を買うほうが資産を増やしやすいでしょう。

Answer

自分を磨き、出世を狙いつつも
より成長の期待値が高いのが

投資!

お金が増える
増やし方
は、どっち?

Question

資産を増やす運用は「短期」「長期」?

リスクを抑えて収益を最大化!

投資には3つの基本原則があります。

ここでは1つ目の原則**「長期」で投資する**について説明しましょう。

人と同様、企業の成長には時間がかかります。一時的な上昇を狙った「短期」の投資で利益を得ることは難しいため、長い目で成長を見守りましょう。

時間をかければ必ず儲かるわけではありません。それでも、過去をさかのぼると20年以上の株式投資によって得られる**リターンは平均でプラス**となっています。

また投資には、利息や配当などの運用成果を再投資することで、収益を拡大させる**「複利効果」**もあります。長く続けることで、この効果は最大化するのです。

保有期間と実質利回り

1802年から2012年までの米国株式の実績によると、
保有期間が20年を超えるとリターンが平均でプラスに。

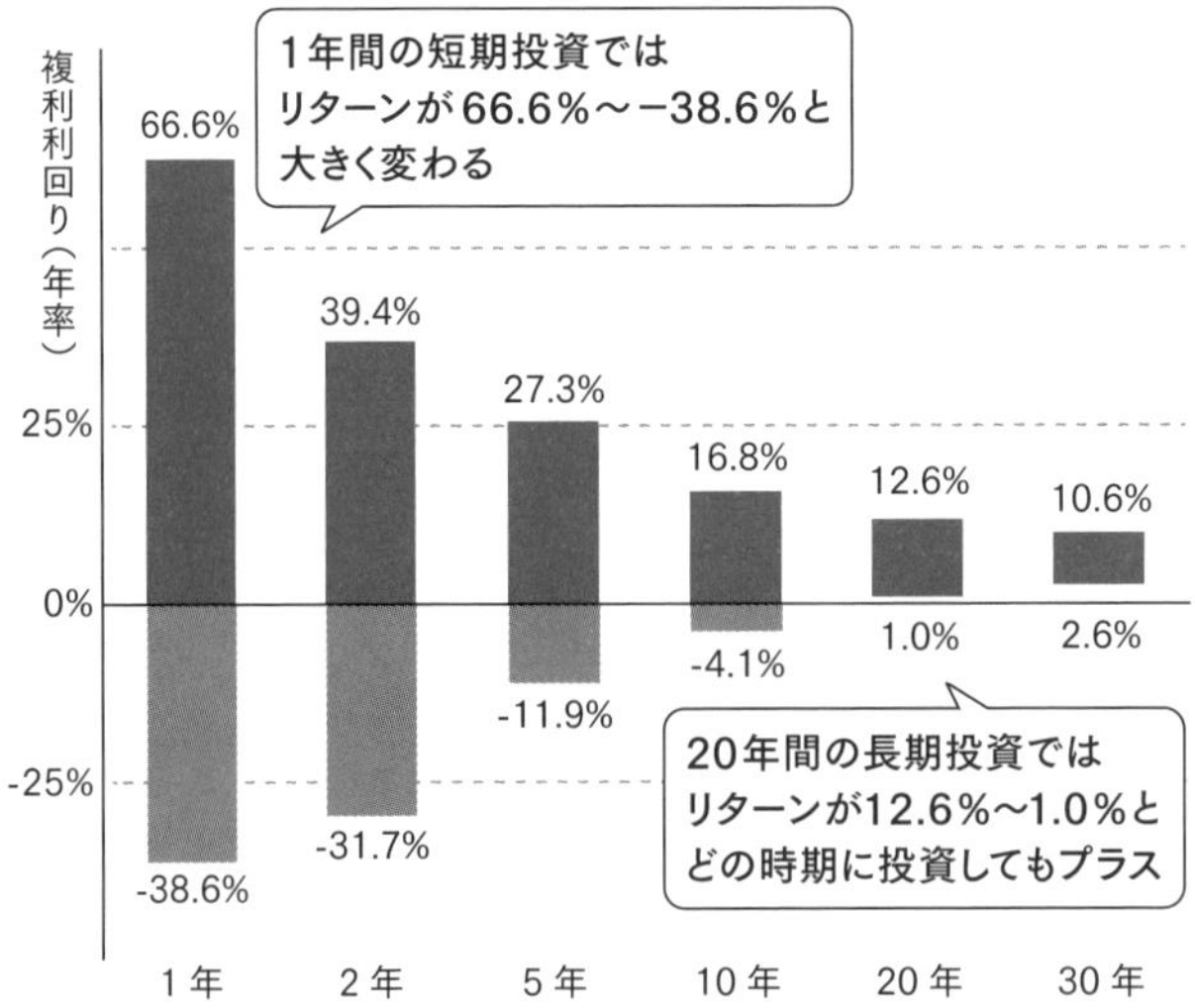

出典:ジェレミー・シーゲル『Stocks for the Long Run』(第5版)

長期投資で大きな利益を得る複利効果

「複利」とは運用で得た利益を元本にプラスして再投資することで、大きな利益を得る方法として知られています。

● 500万円を20年間、運用した場合

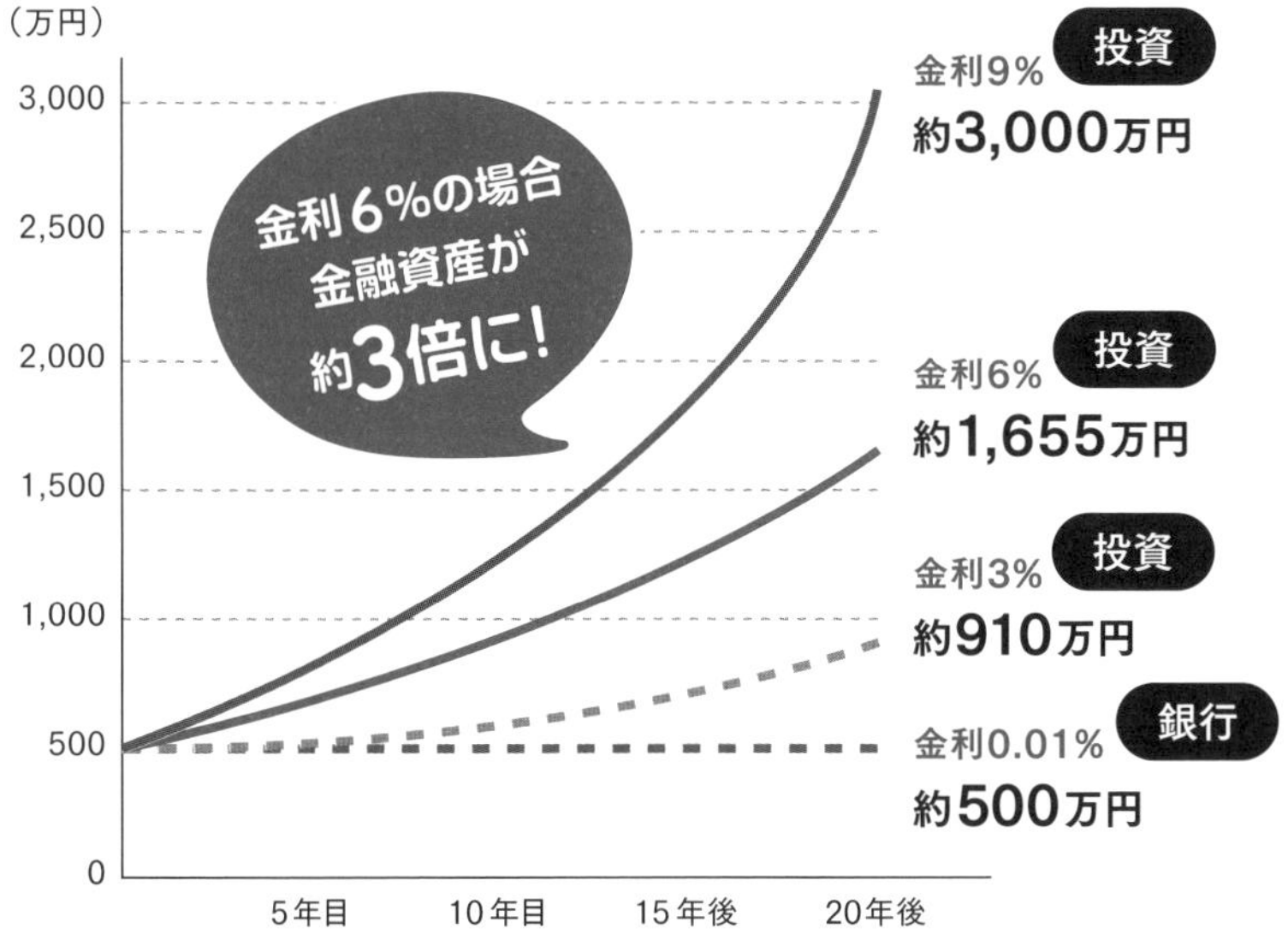

※ 投資による金利は年率。
※ 手数料、税金等は考慮していません。

Point

投資未経験の人が必ず悩むのが**「始めどき」**。結論からいうと**「今すぐ」**が正解。少しでも長く投資をすることで、リターンを安定させることができるうえ、複利の効果を最大限に活かせます。

たとえば、500万円を年率3%の投資先で運用する場合、今投資を始めた人が20年後に得られる利息は**約410万円**、10年後に投資を始めた人が10年後に得られる利息は**約175万円**と**200万円以上の差**がつくのです。

Answer

**リターンが安定し、
複利効果の恩恵を受けられる運用は**

長期!

お金が増える
増やし方
は、どっち?

Question

投資先を選ぶなら「全世界」「米国」？

ひとつの国に依存するのは危険

2つ目の原則は**「分散」**投資。

投資では、「金融商品」と「地域」を分散させることが重要です。

金融商品は、特定の株式ではなく、投資信託を選んで、複数の株式に分散投資をしましょう。

地域は、**「米国（S&P500）」**もいいのですが、1国集中ではカントリーリスクを伴います。**「全世界株式」**を選んで分散するのがおススメ。

たとえば、「eMAXIS Slim全世界株式〈オール・カントリー〉」は純資産総額が2兆円を超える投資信託です。**世界の企業成長に合わせた資産の増加**が期待できます。

金融投資に慣れてきたら、金融商品を増やしていくといいでしょう。

投資信託の内訳

組み入れられている上位銘柄はほぼ同じ。
どちらも米国の成長をキャッチできます。

eMAXIS Slim 全世界株式〈オール・カントリー〉
1 アップル
2 マイクロソフト
3 アマゾン ドットコム
4 エヌビディア
5 アルファベット A
6 テスラ
7 JPモルガンチェース

eMAXIS Slim 米国株式（S&P500）
1 アップル
2 マイクロソフト
3 アマゾン ドットコム
4 エヌビディア
5 アルファベット A
6 テスラ
7 バークシャーハサウェイB

※ 2023年12月29日時点。

運用のプロに投資を任せる

「投資信託」は、投資家から集めたお金をまとめて、運用のプロが株式や債券などに投資します。投資額に応じて利益が還元される金融商品です。

● 投資信託の仕組み

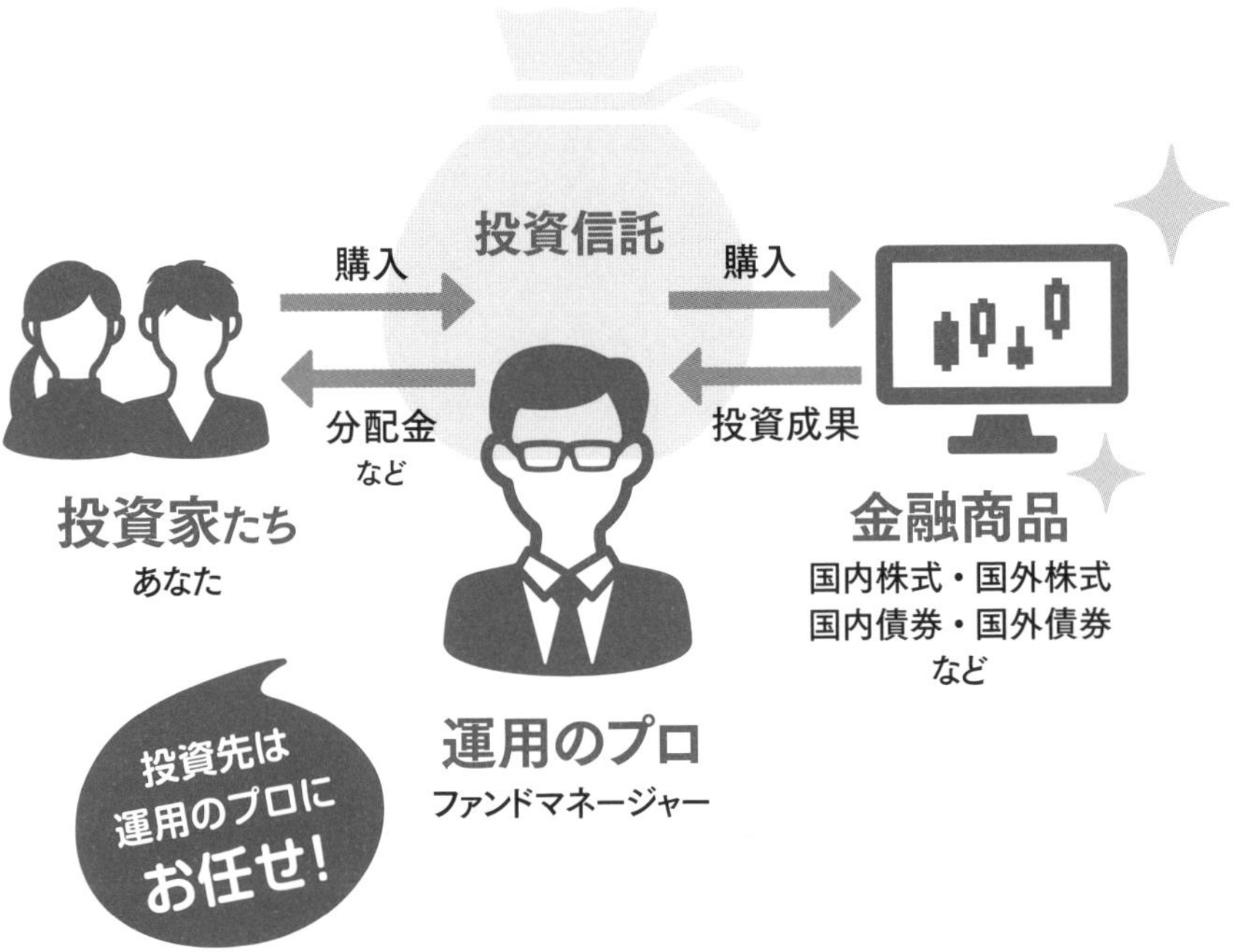

Point

投資先をプロに相談したい場合、金融商品仲介会社や投資助言会社に所属する**IFA（独立系ファイナンシャルアドバイザー）**がおススメ。規制により個別株式を扱えない**銀行員**は一般的に投資の知識が少なく、大手**証券会社の営業員**は、資産家を優先するため後回しにされがちです。IFAは、ネットで情報を事前に調べ、面談で投資に対する考え方を確認したうえで選びましょう。信頼できると感じた人に依頼するのが一番です。

Answer

地域分散によりリスクを抑えるため、投資先に選ぶのであれば

全世界!

お金が増える
増やし方
は、どっち?

Question

リスクが少ない投資は「積立」「一括」?

高値掴みを避けるためには

3つ目の原則は**「積立」**投資。

一定の期間ごとに、一定の金額ずつ、同じ銘柄をコツコツ購入していく投資方法です。

まとまった金額を**「一括」投資**するのではなく、少額ずつ複数回に分けて投資をすることで、高値掴みのリスクを抑えることができます。手元の資金が少なくても始められるうえ、続けやすいことも特徴のひとつ。

銀行や証券会社によっては、銘柄を選んで設定をしておくことで、**定期的に口座からお金が引き落とされて、運用に回る仕組み**もあります。投資初心者の方におススメです。

一方で、原資が少額の積み立てのため、短期間で大きな利益を得ることには向いていません。

■ 積立投資のイメージ

一定間隔で、一定金額を機械的に投資していく手法で「ドルコスト平均法」と呼ばれています。

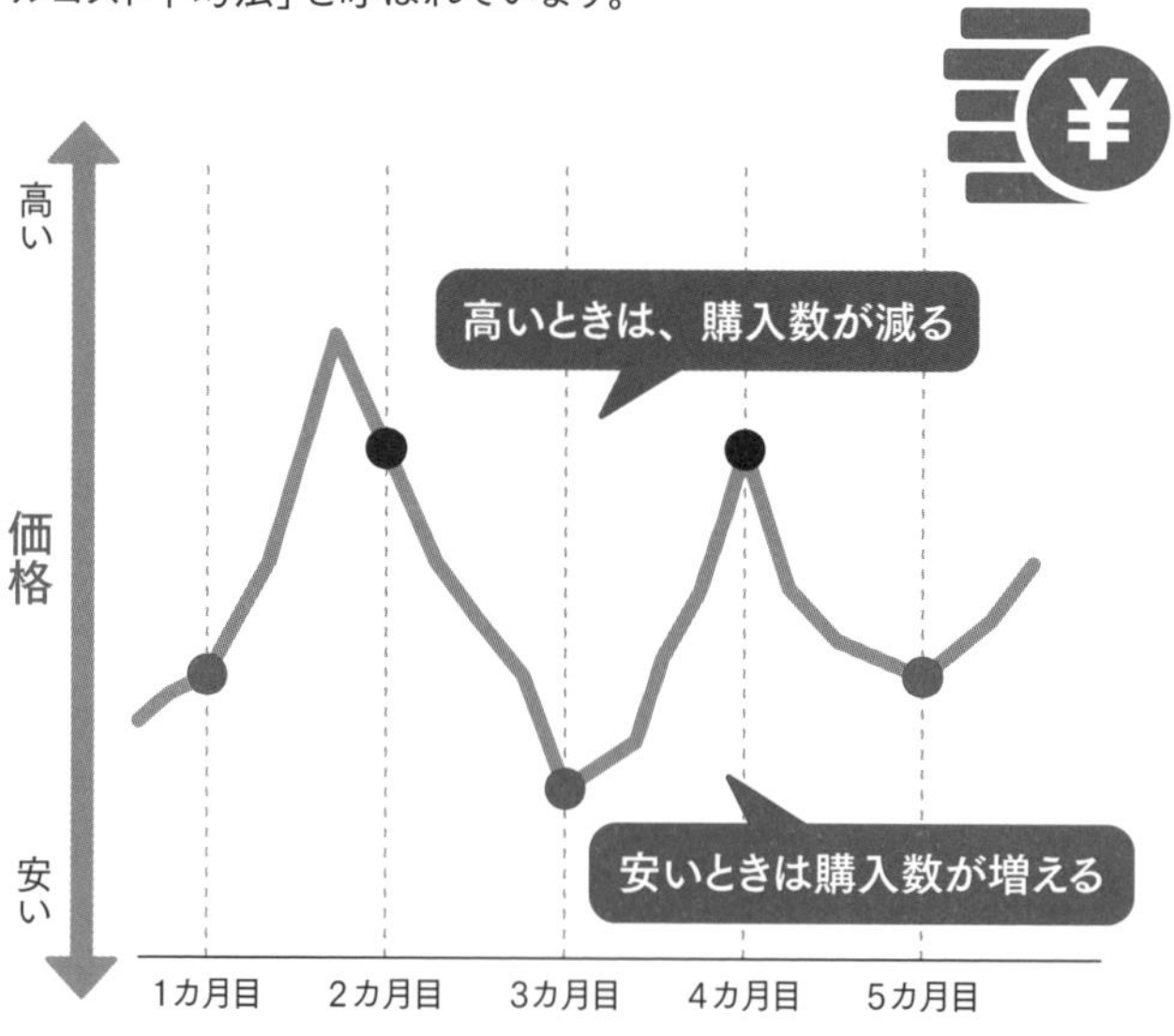

■大きな変化の中でも安定したリターン

「リーマン・ショック」により暴落した株価が元の水準に戻るまで4年。
しかし、その間に積立投資を続けていた人は資産が増えました。

● 米国株(S&P500)の推移［2008年1月末を100とした場合］

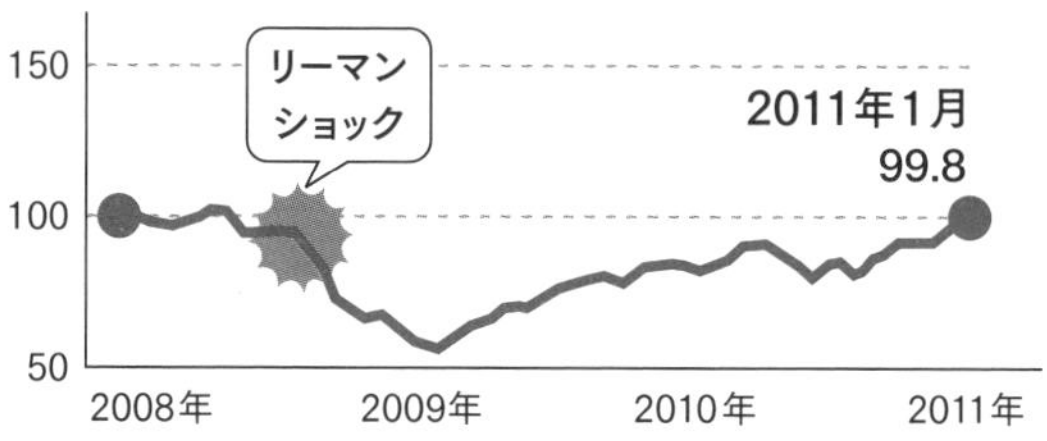

一括投資の場合

2008年1月に投資
2011年1月時点で
増減なし

● 米国株(S&P500)へ積立投資をした場合

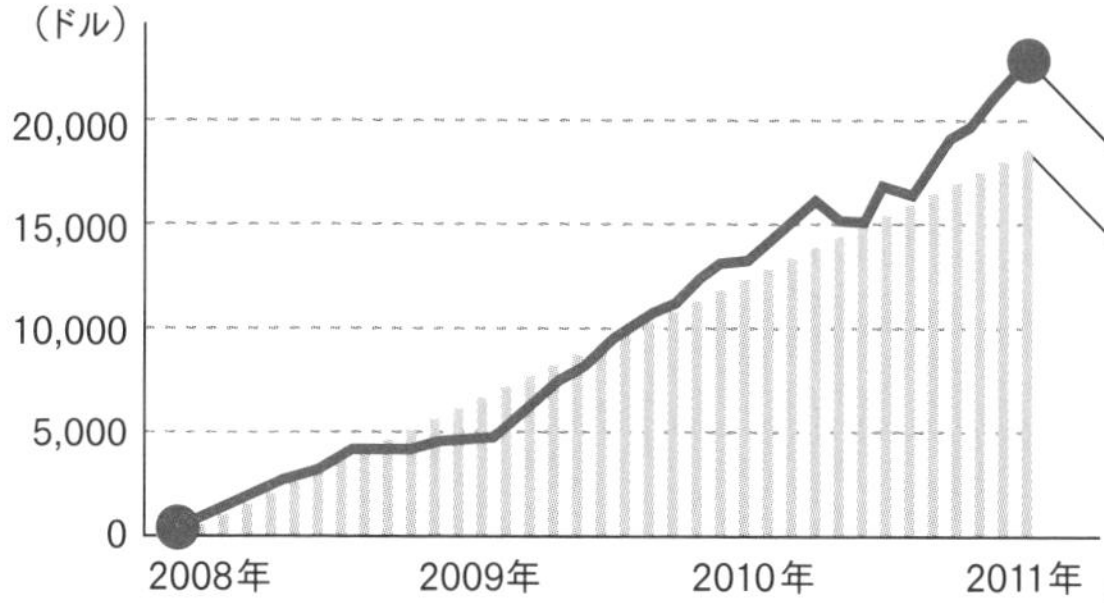

積立投資の場合

評価額
22,851ドル

累計投資額
18,500ドル

積立投資は約23%アップ!

Point

設定により自動で行なう積立投資のメリットは、機械的に金融資産が積み上がっていくこと。値下がり局面において、不安から投資額を減らしたり、金融商品を手放した人が、後の値上がりを見て「もっと買えばよかった」「売らなければよかった」と考えるのはよくある話。**感情に左右されず積み立て続ける**ことが、その後の値上がりをとらえて金融資産を増やすコツ。値下がり時には、**同じ額でたくさん買いつけられる**と考えましょう。

Answer

高値掴みを避けるため、複数回に分けて行なう

積立(投資)!

Question

リターンが多い投資は「積立」「一括」?

手元のお金を寝かさない

「積立」投資は、高値掴みのリスクを抑えられる効果的な投資方法です。しかし、まとまったお金が手元にあり、**より多くのリターン**を得たいなら、「**一括」投資**が正解。

たとえば、100万円の余剰資金を持っていて、毎月1万円の積立投資と、全額を一括投資した場合を比較してみます。投資から10カ月後に、資産価値が10%上がった場合。積立投資では10万円の投資額に対して1万円の利益。一括投資では、100万円の投資額に対して10万円の利益となり、**運用成果が10倍変わる**のです。

一括投資は、マイナスの場合の値動きも大きくなりますが、長期的な運用が前提であれば、**安定したリターン**を期待できます。

チャンスを逃さない一括投資

まとまったお金があり、長期運用できるなら
一括投資により、投資の効果を最大化しよう。

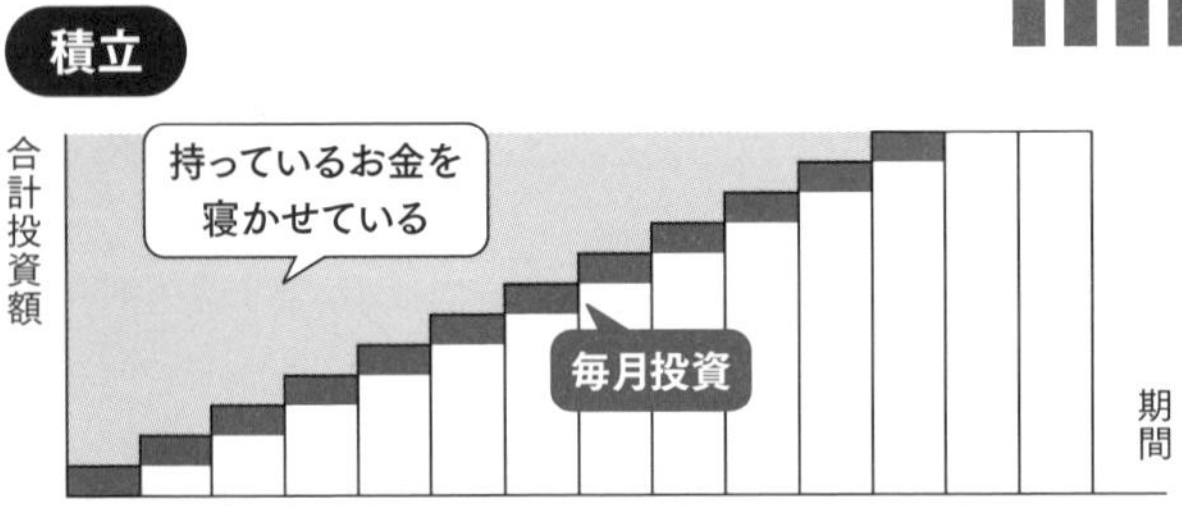

投資の仕方でリターンは大きく変わる

想定金利3.5%の投資信託の場合、合計の投資額は同じでも
将来の利益は大きく変わります。

● 20年間、毎月1万円を積立投資

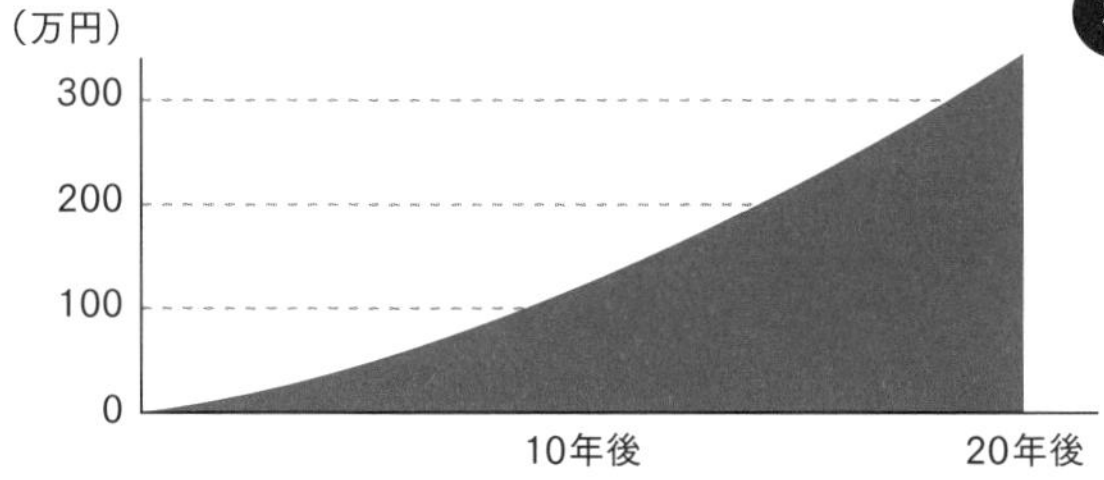

積立投資の場合

20年後の想定額
346.9万円

● 240万円を一括投資して20年間運用

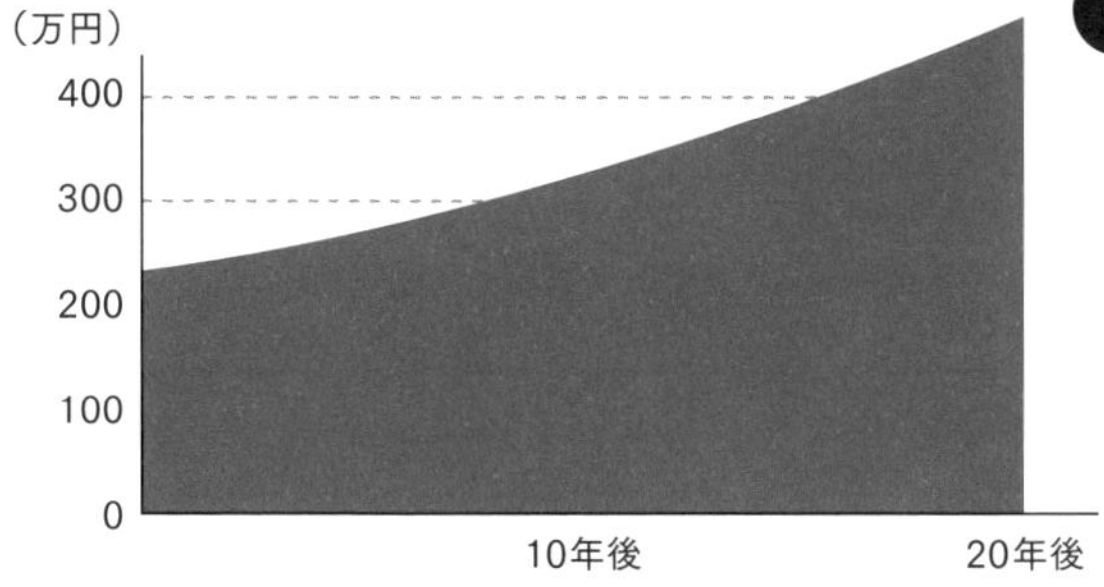

一括投資の場合

20年後の想定額
482.8万円

投資の仕方で136万円の差！

Point

最も取りこぼしが少ない投資方法は、**「一括投資」と「積立投資」の合わせ技**。

まずは、解雇や病気などの有事に備えて、**生活費の半年分**を手元に確保。残りの、**余剰資金を「一括」**投資します。さらに、**毎月の収入から「積立」**投資をすることで、リターンを最大化することができます。ここで大切になるのは、自分の「ライフプラン」。いつまでに、いくら必要かを見極めて投資額を決めましょう。

Answer

**リターンを多くしたいなら、
値上がりの恩恵を大きく受けられる**

一括（投資）！

お金が増える
増やし方
は、どっち?

Question

投資するなら景気が「いいとき」「悪いとき」?

「稲妻が輝く瞬間を逃さない」ために

投資を始めるなら、なるべく資産を増やしたいもの。その気持ちが強く現れる人ほど、景気がいいときに投資してしまいがちです。

じつは、お金を増やしたいのであれば、**景気の悪いとき**に投資をするのが正解。

投資のバイブルとも呼ばれる、チャールズ・エリス氏の著書『敗者のゲーム』の中に、「稲妻が輝く瞬間に市場に居合わせなければならない」という一節があります。市場には大きな上げ相場機会（景気がいいとき）があり、この**タイミングを逃すと、得られるリターンが大幅に減る**という意味です。

上げ相場を正確に予測することはできません。下げ相場（景気が悪いとき）から準備をしておき、上昇局面を逃さずとらえることが大切です。

上げ相場を逃すとリターンが減る

1980年から36年間、S&P500で大きなリターンのあった上位何日かを逃した人は、リターンを大きく減らすことに。

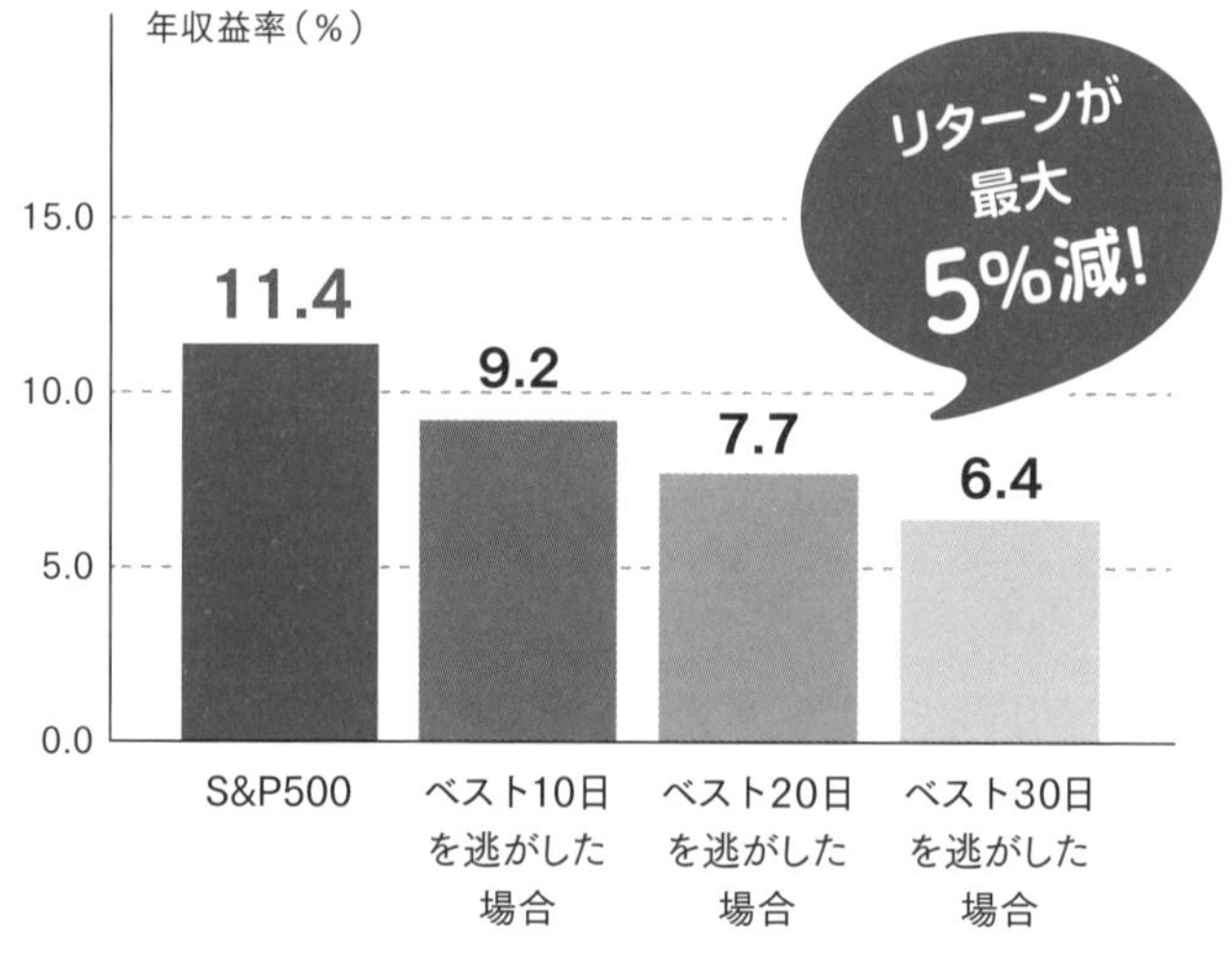

出典：チャールズ・エリス『敗者のゲーム』

世界的に上昇期間は長く、下落期間は短い

米国株式の過去35年間（1985-2021年）の変動を読み解くと、下落期間（投資のチャンス）は上昇期間と比較して、かなり短くなっています。

● 米国株（S&P500）の変動

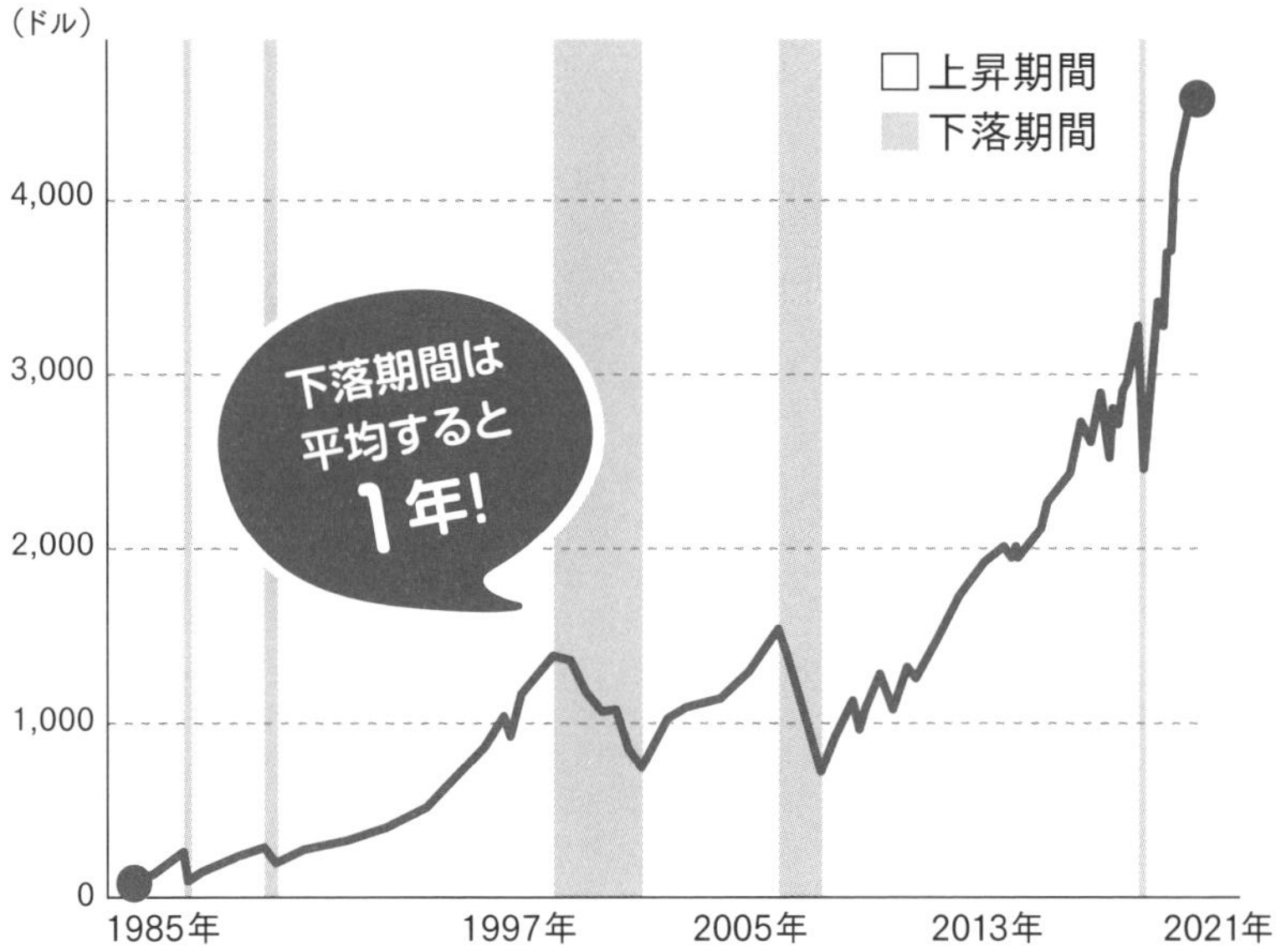

Point

投資によって失敗する原因のひとつは、相場が下がったときに、**不安に陥り金融商品を手放してしまう**こと。当然、その後の上げ相場でチャンスをつかむ機会は得られません。それどころか「投資は怖い」という印象を強く持ち、**再び投資をしようと思わなくなる**恐れもあります。

こんなときに頼りになるのが、投資に関する**知識と経験が豊富な専門家**の存在。信頼のおける人を見つけてアドバイスをもらいましょう。

Answer

大きな上げ相場をとらえて資産を増やすためにも、投資するなら景気が

悪いとき!

お金が増える
増やし方
は、どっち？

Question

参考にする指標は「販売金額」「純資産総額」？

売りたいものと、売れているもの

投資信託を選ぶ指標に「**販売金額**」ランキングがあります。でも、じつはこれ、注意が必要です。対象期間が限定だったり、販売側が積極的に売った商品も並ぶからです。

本当に選ばれているものを調べるなら「**純資産総額**」をチェックしましょう。純資産総額とは、投資信託の規模を表すもの。組み入れている株式や債券を時価評価した資産のうち、投資家に帰属する総額を示しています。

純資産総額が大きいほど、効果的な追加投資が可能です。経費率を抑えることで**信託報酬などが安く設定**されるメリットもあります。

規模の目安は50億円以上、また、資金が安定して流入していることも確認しましょう。

■ 純資産総額のランキング

急に増えたり、減ったりすることなく、
徐々に右肩上がりに増えていくファンドが理想的。

	ファンド名	純資産総額
1	eMAXIS Slim 米国株S&P500	3兆3,695億円
2	A・バーンスタイン 米国成長株投信D	2兆3,578億円
3	eMAXIS Slim 全世界株式（オール・カントリー）	2兆2,155億円
4	SBI・V・S＆P500 インデックス・ファンド	1兆3,245億円
5	楽天・全米株式 インデックス・ファンド	1兆2,883億円

※ 2024年1月25日時点。　※ 黒字は新NISA対象ファンド。

純資産総額1位に投資していたらどうなる？

業界最低水準の運用コストで、米国の経済成長をとらえられると人気の「eMAXIS Slim 米国株S&P500」。投資家の支持が純資産額に表れています。

● 基準価額の推移 ［eMAXIS Slim 米国株S&P500］

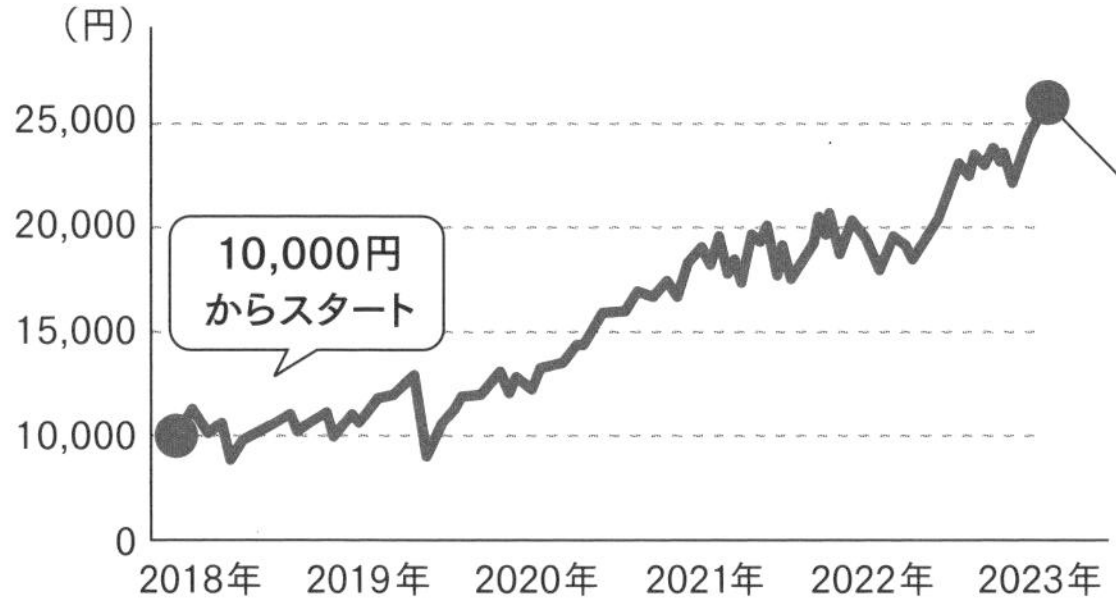

基準価額
25,779円
※ 2024年1月25日時点。

● 発売開始から投資していた場合

2018年7月発売 **100万円** ➡ 2024年1月時点 **257万円**

5年間の運用で **約2.5倍!**

Point

株式や債券への分散投資は、生命保険商品でも可能です。それが運用実績に応じて給付が変動する**「変額保険」**。たとえば、変額保険に含まれる全世界株式を投資対象とした投資信託（特別勘定）の中には、**資産規模が2兆円**を超える人気商品もあります。

一般的に変額保険は、他の金融商品よりも運用コストが高くなりがち。リスクとリターン、運用コストを照らし合わせて検討しましょう。

Answer

投資家に支持されている投資信託を調べるなら

純資産総額!

お金が増える
増やし方は、どっち?

Question

資産配分の決め方は「許容度」「年齢」?

ストレスを感じやすい人には

国内株・国内債券・外国株・外国債券は、主要4資産と呼ばれています。投資する割合によって、当然、期待リターンは異なります。

20代で独身の人は、リスクが取りやすいため、国内外の株式の割合を増やす。60代の人は、リスクの少ない国内債券の割合を増やす——。一般的には、こうした**「年齢」に応じた資産配分**が推奨されています。

ただ、お金を増やすという観点では、自身の**ライフプラン**と**リスク許容度**に応じて、最大のリターンが取れる資産配分を続けることが正解。

生活に影響の少ない金額を、過度なストレスを感じないバランスで運用して、効率よくお金を増やしていきましょう。

■ あなたのリスク許容度は?

「リスク許容度」とは、投資の際にどこまで価格変動（特に損失）を許容できるか示す度合い。

リスク許容度

低い ←→ 高い

安定性を重視

高い	年齢	低い
多い	家族構成	少ない
短い	運用期間	長い
少ない	収入	多い
少ない	保有資産	多い
増える	今後の支出	減る
ない	投資経験	ある
慎重	性格	積極的

収益性を重視

資産配分はリスク許容度によって変える

一般的に、想定リターンが高い金融商品ほど価格変動が大きくなります。ライフプランとリスク許容度に合った資産配分を心がけましょう。

● 資産配分別に見る想定リターン

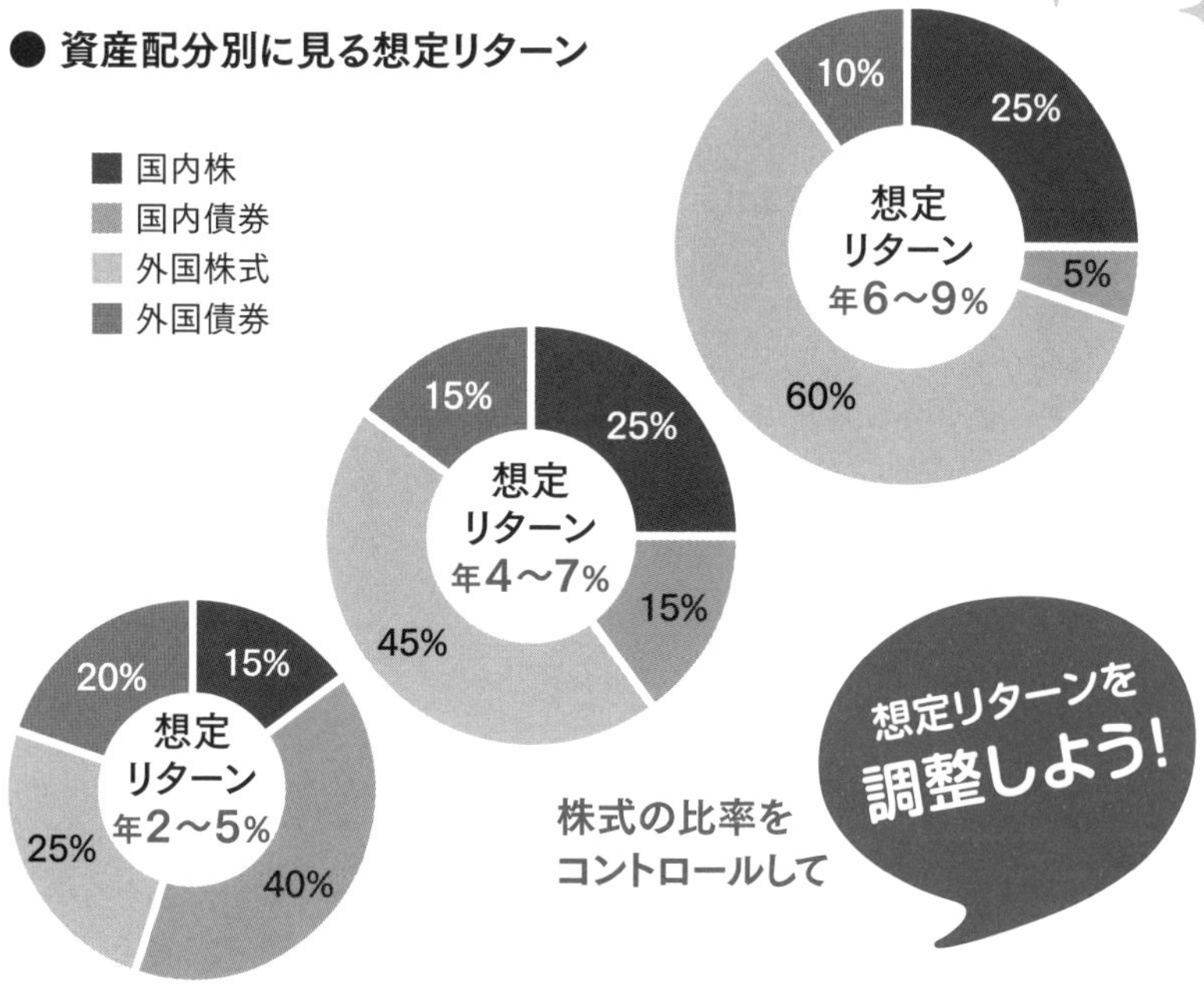

※ 想定リターンは、実際の運用成果を保証するものではありません。

Point

納得のいく資産配分と銘柄構成になっている**バランス型の投資信託**が見つかればベストです。当てはまるものがなくても大丈夫。**複数の投資信託を組み合わせ**ればいいのです。

FP（ファイナンシャルプランナー）が持っているシミュレーションツールや証券会社のアプリやサイトで、選んだ**銘柄を合算し、全体の資産配分を確認**することもできます。価格は日々変動し資産配分はつねに変わります。定期的にチェックを!

Answer

投資によりストレスを感じる度合いは人それぞれ、資産配分の決め方は

許容度!

お金が増える
増やし方は、どっち？

Question

運用を始めるなら「新NISA」「iDeCo」？

特長によって使い分けよう

本来投資で得た利益には、約20%の税金がかかります。しかし「新NISA」や「iDeCo」の口座で運用すると、**得た利益が非課税**になるところが優れもの。

両方利用できれば一番いいのですが、はじめて投資をする人や、原資が少額という人であれば**新NISAから始める**のがおススメ。

新NISAは、**いつでもお金を引き出せて、最低100円という少ない資金から**投資できる制度です。すべての人が口座を持っておくべきと言えます。

iDeCoには、掛け金が全額所得控除となり、税金が減る効果があるものの、60歳までお金を引き出せないという制限があります。

運用益の非課税は大きい

新NISAとiDeCoは、利益に対して約20%かかる税金が非課税となり、儲けがすべて自分の手取りになります。

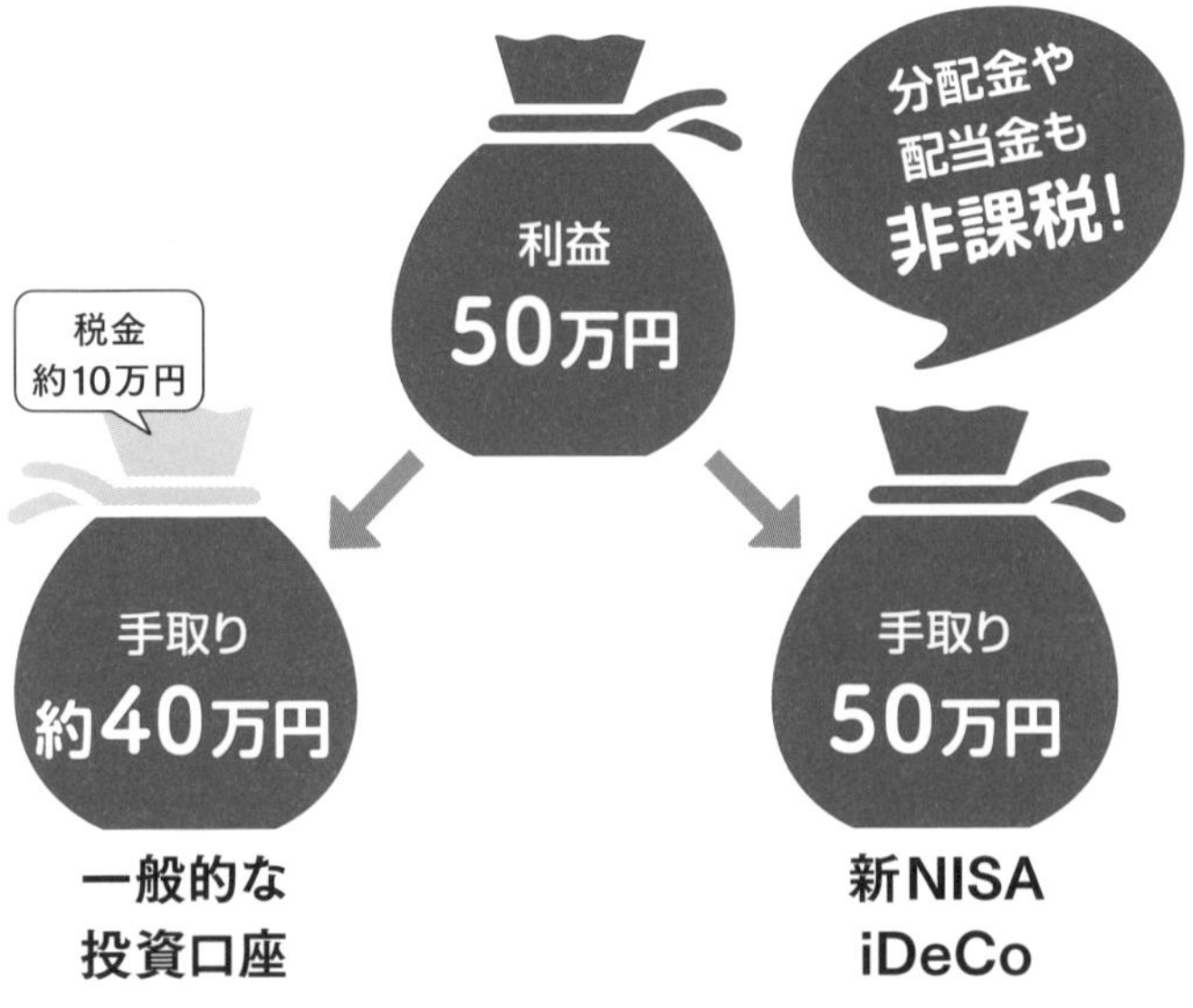

新NISAとiDeCoの違い

どちらも、運用によって得られた利益が非課税となる税制優遇制度。
ライフプランの変化に合わせて活用しやすいのは、新NISAです。

原則60歳まで
お金が下ろせない
iDeCo！

	新NISA		iDeCo
	つみたて投資枠	成長投資枠	
投資対象	投資信託	上場株式 ETF 投資信託など	投資信託 保険 定期預金など
年間投資額	120万円	240万円	14.4～81.6万円
非課税保有限度額	1,800万円	うち1,200万円	なし
非課税期間	無制限		75歳まで
出金のタイミング	いつでも		原則60歳以降 75歳まで 一時金or年金
投資額	100円～		5,000円～
手数料	口座開設は無料 運用中：信託報酬などがかかる		加入時：2,829円 運用中：171円～ 出金時：440円／回

掛け金の
払込みは
65歳まで

Point

新NISAによって投資に慣れてきたら、**iDeCo**を検討してもいいでしょう。考慮すべきは、今後の**「収入」**と**「ライフプランの変化」**。iDeCoは、掛け金が全額所得控除となるため、所得が多く税率が高い人ほど、節税効果が大きくなります。まずは、ライフプランを確認し、**緊急時に必要になるお金**を分けましょう。残ったお金のうち、老後資金として60歳以降に活用することが決まれば、iDeCoの出番です。

Answer

運用を始めるなら、いつでも
お金を引き出せて、少額から始められる

新NISA！

Question

投資で大切なのは「タイミング」「メンタル」？

投資を始めたら「果報を寝て待つ」

新NISAの賢い使い方は2つあります。

1つ目は「**❶長く使う**」こと。

旧制度は、運用中の金融商品の非課税期間が終了すると、損失があっても、売却や一般の課税口座への移管が必要でした。そのため、売買のタイミングを気にする必要があったのです。

新NISAでは、**投資可能期間の制限がなくなりました。**仮に暴落により資産価値が下がっても、値上がりまで待つことができます。

世界の人口は増え続け、世界経済も大きくなり続けています。一時的に暴落しても手放さず、そのまま持ち続けていた人のほうが、大きな資産を手に入れることは多いです。投資は強い「メンタル」で長く続けることが大切です。

値下がりしても慌てない

世界が経済成長している限り、多少の浮き沈みを繰り返しながら、長期的には右肩上がりで成長します。

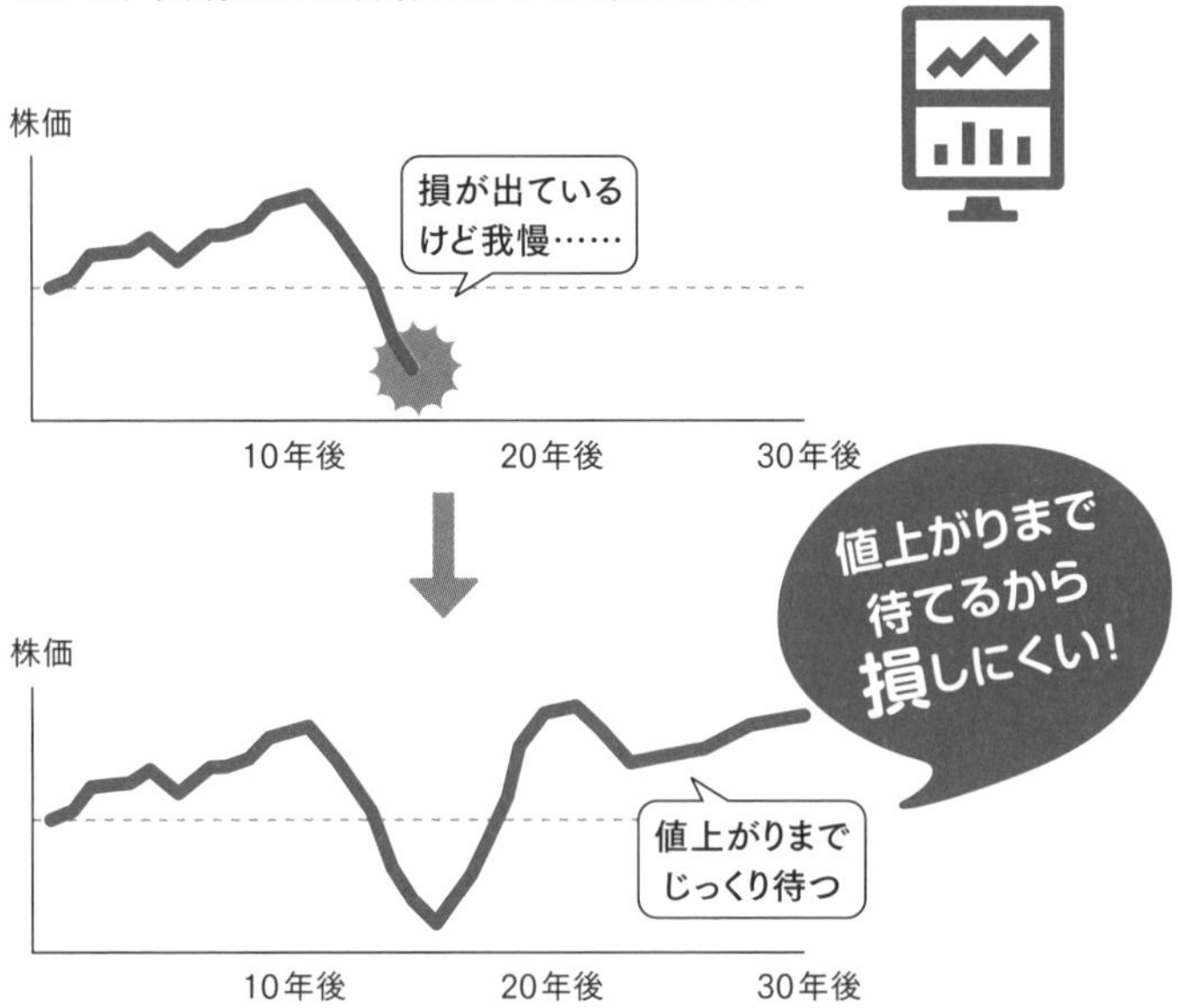

■ ほったらかしの人のほうが高リターン!?

投資においては、利益を狙って頻繁に売買を繰り返すよりも
放っておいたほうがリターンが大きくなるというデータもあります。

● 投資家の平均年率リターン

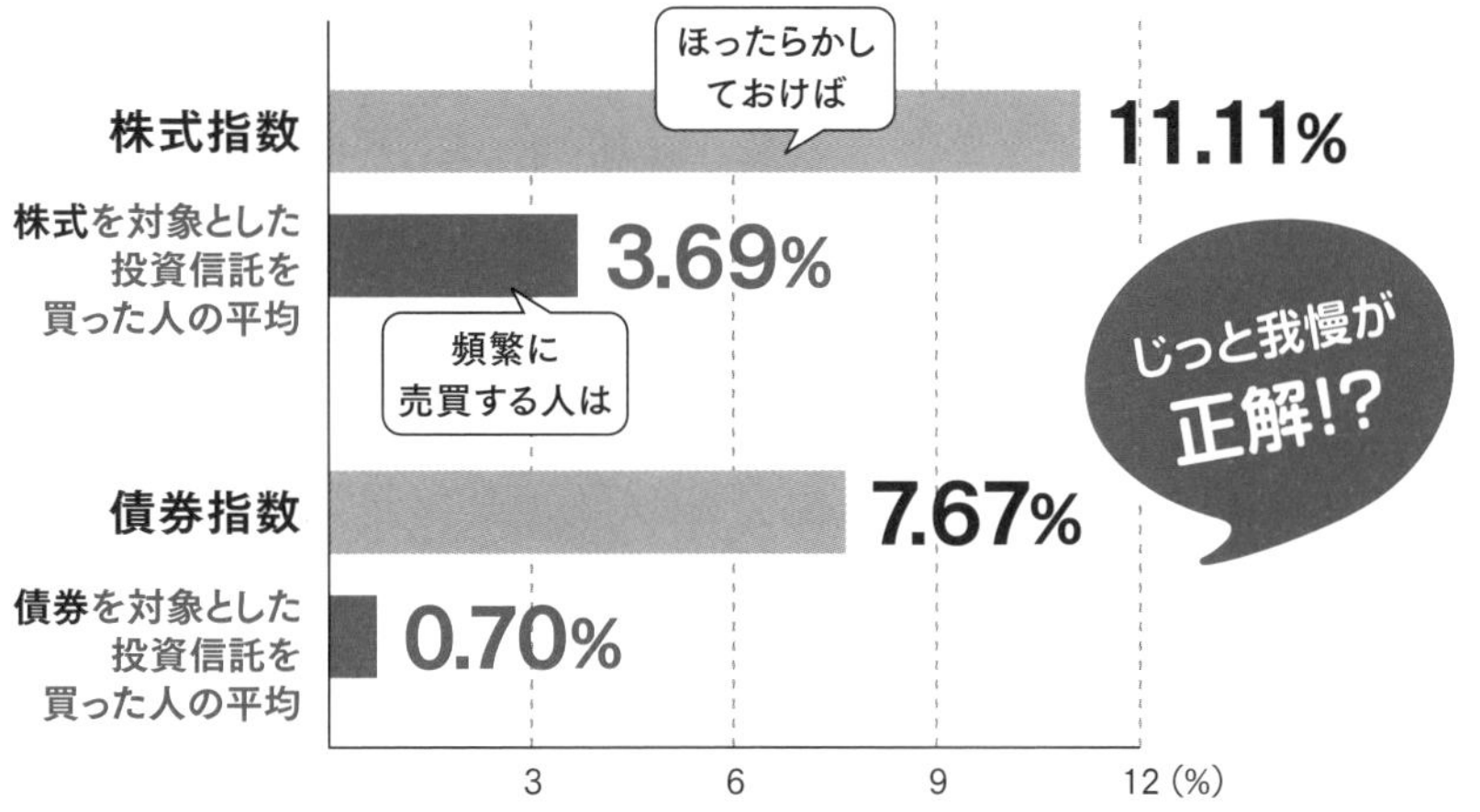

1984年1月～2013年12月の30年間のデータに基づく。
投資信託の投資家の平均リターンは米国のもの。リターンは株式がS&P500、債券がバークレイズ・アグリゲート・ボンド・インデックス。
出典：米ダルバー「DALBAR's 20th Annual Quantitative Analysis of Investor Behavior 2014 Advisor Edition」

Point

「新NISA」口座は、無期限に非課税枠が利用できるうえ、生涯投資枠は**1人あたり1,800万円**と高額。夫婦2人なら3,600万円となり、老後資金の準備に十分使えます。

収益の安定が期待できる長期投資をするためにも、**1日でも早く「新NISA」口座を開設**して、投資をスタートしましょう。急にお金が必要となり、慌てて売却することのないよう、**事前にライフプランを確認**しておくことも大切です。

START

Answer

投資で大切なのは、一時的な資産価値の下落に感情を左右されず投資を続けるメンタル!

Question

2つの投資枠は「使い分ける」「使い分けない」?

理解できた金融商品から始めよう

新NISAの賢い使い方の2つ目は「**❷シンプルに使う**」こと。

新NISAには「**つみたて投資枠**」と「**成長投資枠**」という2つの投資枠があります。

「つみたて投資枠は、投資信託でコツコツ資産を積み立て、成長投資枠は、個別株など幅広い投資を」とのアドバイスもありますが、ここはシンプルに考えましょう。ポイントは、**成長投資枠でつみたて投資枠と同じ投資信託が購入できる**こと。

内容を十分に理解できるまでは、2つの投資枠を使い分けず、1つの投資信託を積み立てていきましょう。

投資枠の使い分けや、金融商品の数を増やすのは、投資に慣れてからで十分です。

新NISAの2つの投資枠

それぞれの投資枠で、投資対象商品と
年間投資額の上限が異なります。

●つみたて投資枠

- □年間投資額は120万円まで
- □金融庁が認めた「長期の積立分散投資に適した投資信託」を購入できる

●成長投資枠

- □年間投資枠は240万円まで
- □つみたて投資枠で扱う投資信託に加えて、上場株式・ETF・REITなどを購入できる

生涯投資枠は、売却すると翌年に復活

生涯投資枠1,800万円（うち成長投資枠1,200万円）が上限。
投資した金融商品を売却することで、投資枠は復活します。

● 投資イメージ

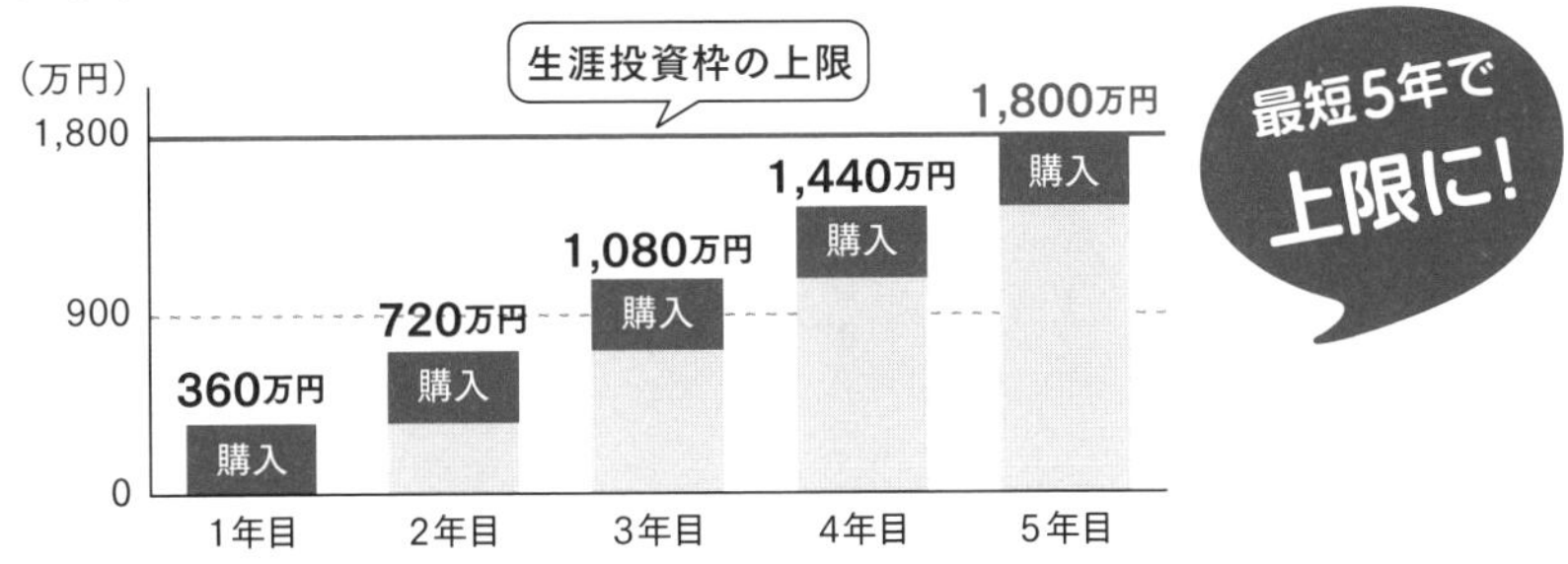

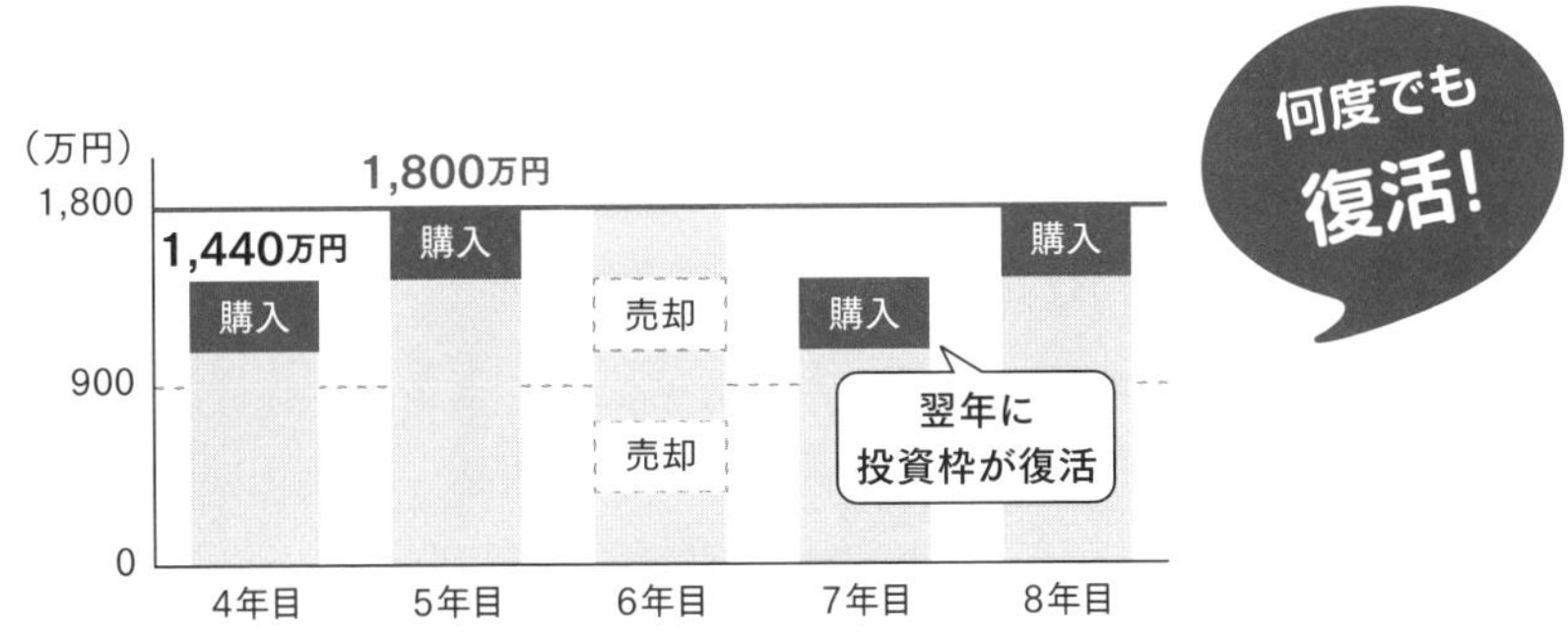

Point

「新NISA」の投資枠は、購入した金融商品を売却することで、売った（売れた金額ではなく金融商品を買ったときの金額）分の投資枠が復活します。しかし、**投資枠が復活**するタイミングは、売却した直後ではなく、**売却した翌年**となるため注意が必要です。

ちなみに、**「つみたて投資枠」は年間120万円、「成長投資枠」は年間240万円**を超えて投資することはできません。

Answer

金融商品の違いを、自ら理解して選べるようになるまで 使い分けない!

お金が増える
増やし方
は、どっち？

Question

投資用の口座開設なら「窓口」「ネット」？

品揃えが豊富で、手数料も安い

新NISAの口座を開設する際に、確認すべきことは、投資の成果を大きく左右する、商品の**「品揃え」**と**「手数料」**の2つ。

対面窓口のある店舗型証券会社は、品揃えが少なく、対面取引の手数料も高くなりがちです。

一方、**ネット証券は、品揃えが豊富**で購入する際の**手数料も安い**です。口座開設はネット証券が正解です。

おススメは「SBI証券」か「楽天証券」。どちらも、**投資信託の品揃えは2600本以上と日本トップ**。しかも、投資信託の**購入手数料は無料**。国内外株式の取引手数料も安く、投資信託の積み立てはクレジットカードで決済できます。取引や残額に応じてポイントが貯まるのもお得。

それぞれの新NISA口座の特徴

新NISA口座は1人1口座しか持つことができません。
最初から自分に有利な口座を開きましょう。

	銀行 郵便局	店舗型 証券会社	ネット 証券会社
手数料	高い	標準	とても安い
上場株式	ない	多い	多い
投資信託	標準	標準	多い
REIT	少ない	多い	多い
窓口対応	対応可	対応可	不可
口座開設	1カ月	1カ月	最短翌営業日

手軽に使えて品揃えも豊富　手数料も安い！

ウェブページやアプリの使いやすさも重要

ネット証券によって、取扱商品や手数料、サービスも異なります。ウェブページやアプリの使いやすさも、口座開設前に必ず確認しましょう。

● 新NISA口座としておススメのネット証券

		SBI証券	楽天証券
売買手数料	投資信託	無料	無料
	日本株・米国株	無料	無料
つみたて投資枠の取り扱い銘柄数		218本	213本
クレカ積立	カードの種類	三井住友カードなど	楽天カード
	積立額の上限	月5万円	月10万円
	付与ポイント	Vポイント	楽天ポイント
	ポイント付与率	0.5～5%	0.5～1%
投資保有ポイント	付与ポイント	T ポイント Ponta ポイント V ポイントなど	楽天ポイント

※ 2024年1月1日時点。

グループのネット銀行と連携すれば

出金手数料が無料!

Point

実店舗のないネット証券に、不安を感じる方は、ご安心ください。ネット証券によっては、**24時間365日体制**のチャットボットによる問合せ窓口や、**電話による有人のカスタマーサポート**を用意しています。

ネット証券は、家にいながら**時間を気にせず金融商品の購入**ができます。販売員から、特定の金融商品を強く薦められるストレスも感じません。

じっくり考えることができることもおススメの理由です。

Answer

新NISAの口座開設なら品揃えが豊富で、購入手数料も安い ネット(証券)!

お金が増える
増やし方
は、どっち?

Question

投資の醍醐味は「インデックス型」「アクティブ型」?

コストは安いが玉石混淆《ぎょくせきこんこう》

投資信託選びで悩むのが**「インデックス型」**と**「アクティブ型」**のどちらを選ぶか。

指数と同じ値動きを目指すインデックス型のほうが、投資経験の浅い人にはおススメと言われています。その理由は、1本で**幅広い資産に投資**するため分散効果が高く、**運用コストも安い**傾向にあるから。しかし幅広い投資とは、裏を返せば玉石混淆だということ。運用が低調な資産もまとめて購入していることになるのです。

一方、アクティブ型は**指数を超える利益**を目指し、成長を期待できる投資先に絞っています。

インデックス型で投資の基礎がつかめたら、より運用成果が期待できるアクティブ型へ、少しづつ移行しましょう。投資の醍醐味を味わえます。

投資信託の種類と特徴

それぞれの特徴を理解したうえで、自分に合う金融商品を選択することが大切です。

インデックス型

- 信託報酬が安い商品が多い
- 1本で幅広い資産へ投資
- 資金流入が多い

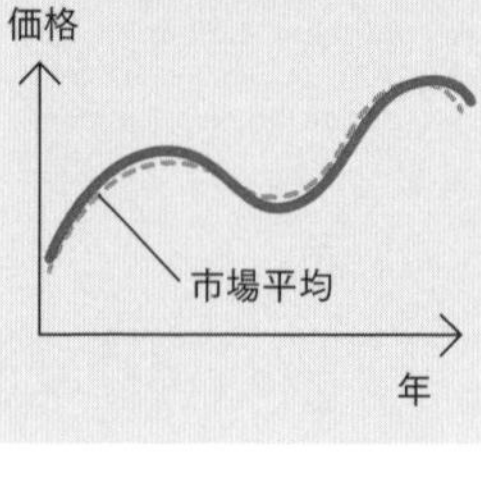

アクティブ型

- 市場を超える利益に期待
- 信託報酬が高め
- インデックス型よりも分散効果が低い

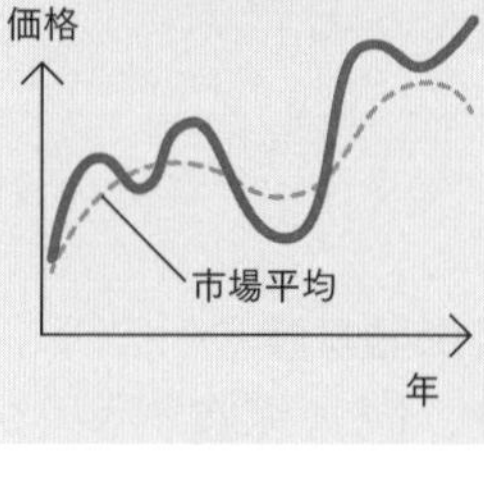

■ S&P500を引っ張るGAFAM

「S&P500」は、米国の主要な約500社で構成されている株価指数。
直近の安定上昇は、GAFAMの成長によるところが、とても大きいのです。

● S&P500と、TOPIXの比較

2010年1月の各終値を100とした場合の騰落率（休場日は前営業日の終値をプロット）
S&P500指数、GAFAM時価総額推移、日経平均株価指数データをもとにオコスモ作成。
出典：児玉一希『株式投資２年生の教科書』

Point

アクティブ型の投資信託について、詳細を知りたい場合、商品ごとに用意されている**「目論見書」**をチェック。これまでの運用実績や、対象としているベンチマーク、信託報酬などの管理コストについて書かれています。

「目的・特色」の項目には、銘柄の選び方や、銘柄の入れ替え頻度に関する考え方が記載されています。

内容に理解・共感できるものを選ぶことで、納得感も増して投資を続けやすくなります。

Answer

より効果的な投資を目指すなら
期待値の高い投資先へ集中する
アクティブ型!

お金が増える
増やし方
は、どっち?

Question

不動産投資なら「ワンルーム」「REIT」?

流動性を考えれば選択肢は1つ

不動産投資は、マンションなどの不動産を購入し、賃貸で運用して家賃収入を得る投資のこと。

入居者がいるうちは収入を得られますが、空室リスクや管理の心配は絶えません。また将来の売却価格は一般の人では想定しにくく、自分の希望するタイミングで売却することも困難です。

ワンルームマンションなどの不動産投資には、知識と経験による**「目利き力」**が必要となるのです。

そこで、不動産に投資するのであれば**「REIT（不動産投資信託）」**がおススメ。

REITは、投資家から集めた資金でビルやマンションなどを購入し、その賃料収入や売却益を投資家に分配する金融商品。いつでも換金できる流動性が魅力です。

実物不動産とREITの違い

同じ不動産でも、実物不動産とREITには特徴や違いがあります。よく理解して、選びましょう。

	REIT	実物不動産
投資額	数万円～数十万円	数千万円～数億円
投資対象	オフィス・ホテル 商業施設・倉庫など	マンション アパート
融資	ー	可能
管理	運用会社に一任	自身で行なう
流動性	いつでも売却可能	売却に時間が必要
値動き	短期的に変動する	大きな変動はない
節税効果	ー	所得税・相続税
分散効果	あり	得にくい

実物不動産とREITのリターン

実物不動産は、融資によって取得しやすいことが長所。ただ、空室や家賃相場の下落があってもローンの返済は続くため、物件は慎重に選びましょう。

● REITと中古ワンルーム投資の年間収益

REIT

500万円	
表面利回り 4%	
配当金	20万円
手取り収入	18万円

中古ワンルーム

物件取得費用	50万円
物件価格	2,050万円
家賃収入	120万円
管理・修繕	−12万円
諸経費	−5万円
ローン返済	−80万円
税金	−5万円
手取り収入	18万円

一見割安!?
空室リスクに注意!

※ 収支はイメージです。

Point

さらにリスクを分散させたい場合、REITを**個別銘柄**ではなく、複数の銘柄をまとめた**投資信託で購入**するのがおススメ。

不動産の「目利き力」があるという人は**「不動産投資×金融投資」**の合わせ技が有効。たとえば、投資用ローンを組んで賃貸マンションを購入し、賃料収入からローンの返済額を差し引いた残額を、積立投資に回すことで、資産形成のスピードが上がります。

Answer

突出した「目利き力」を持っていなければ換金しやすい流動性が魅力の

REIT!

お金が増える
増やし方
は、どっち？

Question

退職時にこだわるのは「退職日」「退職金」？

辞める日が1日違うだけで大違い!?

定年退職とは、会社員人生の大きな節目。有終の美を飾るなら「退職日」に注目しましょう。1日違うだけで、手取り収入が大きく変わるからです。

通常の所得と異なり、退職金は税金が非常に優遇されています。勤続20年目までは**1年あたり40万円、21年目以降は70万円の控除額**が積み重なります。最終的に課税される所得は、控除後の金額の半分です。

ポイントは、勤続年数の数え方。**「1年未満を切り上げる」**ルールがあるのです。勤続22年なら退職所得控除額は940万円（40万円×20年＋70万円×2年）。22年2カ月であれば1010万円となります。

ちょっとした違いで**非課税枠が増えます**。退職時期を自分で選べる方は慎重に考えてください。

退職金1,500万円の場合

勤続年数が1年切り上げられるだけで、
手取りはこんなに変わります。

勤続22年	勤続22年2カ月
● 退職金 **1,500万円**	● 退職金 **1,500万円**
● 課税される退職所得 **280万円**	● 課税される退職所得 **245万円**
● 所得税・住民税など **約46万円**	● 所得税・住民税など **約40万円**
約1,454万円	**約1,460万円**

退職日をずらすことで、手取りが **6万円アップ!**

退職金の受け取り方によって変わる手取り

退職金の受け取り方は、「年金」と「一時金」の2つがあります。年金と一時金の割合を決めて併用する「年金＋一時金」を選べる会社も増えています。

● 退職金の手取り合計のシミュレーション

東京都在住、退職金2,000万円（38年勤続）。
60～64歳は継続雇用され年収300万円（協会けんぽへ加入）。
65～69歳は公的年金を年200万円受け取る。
退職年金は10年間で受け取る（予定利率1.5%）。
所得控除は基礎控除、社会保険料控除、所得金額調整控除のみ。

	年金	一時金
60歳時	0円	退職金 2,000万円
60～64歳	給与所得 退職年金 2,150万円	給与所得 1,175万円
65～69歳	公的年金 1,770万円	公的年金 915万円
合計	3,920万円	4,090万円

受け取り方で **手取りに170万円の差!**

Point

65歳以上も働きたい人は、**65歳の誕生日の2日前**までに退職して求職すれば、**雇用保険（失業保険）**から基本手当を**最大150日間**受給できます。

逆に退職が65歳を超えると基本手当が高年齢求職者給付金に変わり、**最大給付日数は50日**と大幅に減少。ただし、退職日を早めるように会社へ強く求めすぎて**「自己都合による退職」**にされてしまうと、失業保険の給付が不利になります。社内規定などを確認し、会社へ相談しましょう。

Answer

退職金の金額も気になりつつ、
手取りを増やすためにこだわるなら

退職日!

Column 3

投資をすると「今使えるお金も増える」!?

お金は預け先によって増え方が変わり、増え方の違いによって、使えるお金の総額も変わります。

たとえば、30年かけて老後資金2000万円を用意する場合。すべて銀行の普通預金で貯めるなら、**月5.6万円**の積み立てが必要です。しかし、同額の老後資金を、想定利回り年利3.5%の投資信託で積み立てた場合、**月3.2万円**で済みます。積み立て総額は、約1,200万円。銀行に預けるよりも、**800万円以上使えるお金が増える**計算です。

しかも、差額の2.4万円は、お小遣いや家族で使えるお金となるのです。そこで得られた経験やスキルが、その後の収入や支出に与える影響を考えると、さらに大きな効果があります。

では、肝心の「投資をいつ始めるか」ですが、結論から言うと**「今すぐ」が正解**。将来の運用成果は誰にもわかりません。しかし、世界の人口が増え、経済が成長し続けている以上、投資先さえ間違えなければ、資産価値は増えるでしょう。

さらに、大きいのが**「複利」**の存在。複利とは、運用で得た利益を元本にプラスして再投資し、その合計額を元に利益を得ることです。なるべく長く投資を行ない、再投資を繰り返すことで利益が最大化されます。

たとえば、手元にあるお金を使って30年後に500万円を用意する場合。想定利回り年利3.5%の投資信託で運用するなら、元本は176万円程度。一方、投資を始めるのが5年遅くなると、必要な元本は209万円程度と、33万円も増えるのです。

運用の成果は保証されているものではありません。

しかし、普通預金の半額以下で資産形成できる期待値があり、**今使えるお金が増える**こととその効果を考えると、取り組む価値は十分にあります。

4
章

お金が増える
守り方
は、どっち?

Which is the
best way to protect
your money?

Question

生命保険を選ぶなら「定期保険」「終身保険」?

期間が決まっていれば割安なのは

世の中に無数にある生命保険。商品ごとに特徴は異なるものの、**期間限定の保障が必要**な場合は**「定期保険」**がおススメ。

定期保険は、通勤定期のように、保障の期間が定まっている死亡保険。基本的には保険料は掛け捨てで、解約して受け取れるお金があってもごくわずかです。

「終身保険」は、**保障が一生涯続く**死亡保険。解約しない限り、保険会社はいつか必ず保険金を支払うため、定期保険と比較すると保険料が割高に。

また、積み立てタイプの保険なので、お金が貯まる機能があります。

手元で使えるお金を増やしたいのであれば、**同額の保障で保険料が割安**な定期保険が正解です。

定期保険と終身保険の違い

どちらを選ぶかは、保険に加入する目的や
個人のニーズによって異なります。

定期保険

●メリット
- □ 保険料が割安
- □ 短い期間で契約できる

●デメリット
- □ 期間満了後の更新により保険料が上がる
- □ 一生涯の保障は確保できない

終身保険

●メリット
- □ 保障が一生涯続く
- □ 貯蓄性がある
- □ 保険料が変わらない

●デメリット
- □ 保険料が定期保険と比べて割高

ライフプランによって使い分けよう

保障期間は、保険を選ぶ際のポイントの1つ。合理的に考えて必要な期間を定めることができれば、割安な定期保険が選択肢になります。

● 35歳女性が死亡保険金1,000万円を10年間確保する場合

	定期保険	終身保険
概要		
保険期間	10年間	一生涯
保険料払込期間	45歳	65歳
45歳時 解約返戻金	0円	238万円
月払保険料	1,200円	23,000円
払込保険料累計[10年間]	約15万円	276万円

手元から出ていくお金が **261万円増!**

※ 一般的な保険のイメージ。
※ 保険会社によって、同じ保険金額であっても保険料や保障内容は異なります。

Point

都道府県ごとに扱いが違う**「共済」**。毎年決済を行ない、集めた掛け金のうち使わなかったお金の一部が**「割戻金」として還付**されます。多いときには50%近くが割り戻されるため、掛け金の負担を抑えることが可能です。その他、会社で用意されている**「グループ保険」**も割安な選択肢。

家族構成やライフプランによって、必要な保障内容とその保障期間は変わります。信頼のできる専門家にご相談ください。

期間限定の保障が必要な場合、手元で使えるお金が増えるのは

定期保険!

お金が増える
守り方
は、どっち?

Question

保険は「契約中でも手放す」「契約満了まで続ける」?

必要な期間だけ利用する

保険とは、**不測の事態に受ける経済的なダメージを和らげるために使う**金融商品。貯蓄や投資によって、金融資産などが貯まるまでは必要と言えます。

たとえば、子どもが大学を卒業し、社会人になったのなら、万一のときの教育費を確保する目的で契約した保険を契約満了まで続ける必要はありません。

ここは合理的に考え、たとえ契約中であったとしても、**必要性がなくなったタイミング**で見直し、手放すのが正解。

たとえば、生命保険は、自分が亡くなったときに、遺された家族の生活費などを確保するために契約するものです。遺族年金などで必要な金額をまかなえるとしたら、契約中でも手放すことを検討するのが賢明と言えるでしょう。

保険金として用意すべき金額

万一のとき、遺族が安心して暮らすための資金が金融資産と公的年金だけでは不足する場合、保険の出番です。

● 必要保障額の考え方

必要保障額 ＝ **遺族の支出** － **遺族の収入**

遺族の支出
- 配偶者の生活費
- お子さまの生活費
- 住居費
- 教育費
- 葬儀代・お墓代
- など

遺族の収入
- 遺族年金
- 配偶者の年金
- 配偶者の収入
- 死亡退職金
- 保険金
- 金融資産
- など

マイナスなら保険の出番!

保険を見直すタイミング

年々、家族に遺すべき必要資金は減ります。金融資産などが必要資金を上回ったときが、保険を手放すことを検討できるタイミングです。

● 必要資金と自己資産の推移

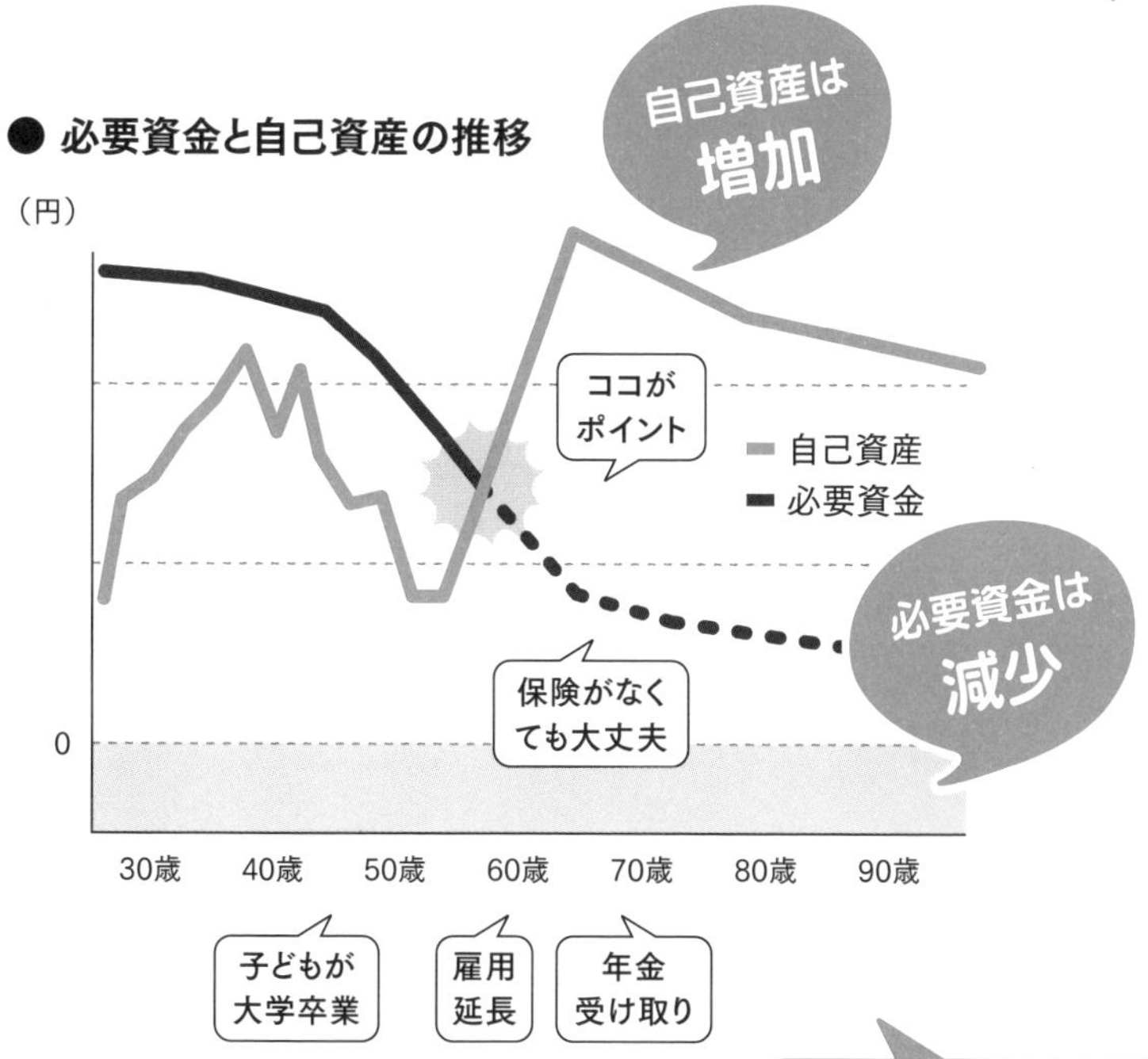

自己資産が増えるたびに **保険は見直し!**

Point

生命保険の手放し方には、**「解約」**以外にも**「払済」**という選択肢があります。払済とは、現在契約している保険の保障期間を変えずに、**保険料の支払いを済ませる**こと。積立型の保険であることが前提ですが、保障額は下がるものの、**保障を継続しながら保険料負担をゼロに**することができます。

家族のために高額の保険金で契約した終身保険を払済にして、自身の葬儀代の補填を目的に継続される人もいます。

Answer

資産の増加により必要性がなければ **契約中でも手放す!**

お金が増える
守り方
は、どっち？

Question

病気への備えは「公的な保険」「民間の保険」？

民間の保険に入る必要性とは？

健康保険証を持っている人は、**公的医療保険**に入っています。そのため、現役世代であれば、かかった**治療費の負担は原則3割**で済むのです。

その他に**「高額療養費制度」**もあります。これは、月内（1日から月末まで）にかかった治療費のうち、**自己負担額の上限を超えると払い戻される**制度。たとえば、月収が30万円の人に医療費が100万円かかった場合、自己負担は9万円以下です。

加入している保険組合によっては、**独自の付加給付**を設けており、さらに**自己負担が軽減**されることもあります。

まずは、自分の加入している公的医療保険を確認しましょう。それでも不足や不安を感じるなら、**民間の保険**を検討すればいいのです。

病気ごとの1入院費用

病気によって入院費用のかかり方は異なります。
※健康保険などで支払われる医療費を含む。

1入院費用（全体）		
がん	胃	99万円
がん	結腸	92万円
がん	直腸	116万円
がん	気管支・肺	94万円
急性心筋梗塞		170万円
脳梗塞		162万円
脳出血		217万円

1入院費用（全体）	
肺炎	90万円
糖尿病	72万円
急性腸炎	32万円
急性虫垂炎	64万円
胆石症	70万円
白内障	26万円
狭心症	76万円

出典：公益社団法人全日本病院協会診療アウトカム評価事業「医療費」2022年度重症度別急性期グループ年間集計より抜粋 1,000円未満四捨五入

高額療養費制度でさらに自己負担は少なく

長引く治療や入院などで、医療費の自己負担金が高額になった場合
収入に応じて、一定の金額が払い戻されます。

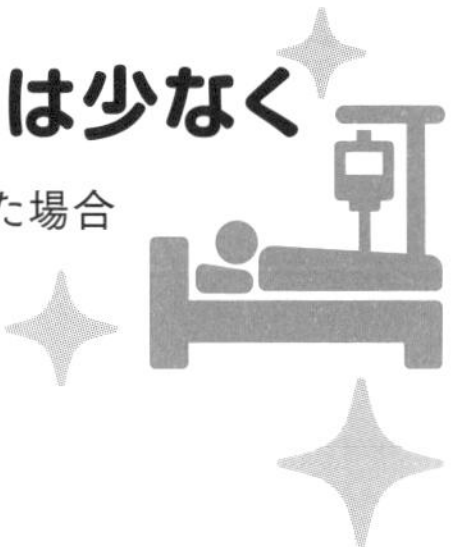

● 胃がんで15日間入院すると

40歳 月給30万円の会社員が、入院して手術を受けた場合

医療費の総額 190万円 ▶ 病院への支払い額 57万円（医療費の3割負担） ＋ 食事代：1万円（460円×20食）

自己負担額が減少！

高額療養費制度による払い戻し額 47.3万円

▶ 1カ月の自己負担の限度額
80,100円＋（1,900,000円－267,000円）×1％
医療費の総額
＝96,430円

医療費の自己負担 9.7万円 ＋ その他の自己負担 10万円 ＝ 自己負担の総額 19.7万円

食事代：1万円（460円×20食）、家族の交通費：2万円、その他：7万円

Point

公的医療保険でカバーされないものもあります。それは、**入院時にかかる個室代**や**食費**、自由診療と判断される**先進医療**や**美容整形**など。

入院時に大部屋を選ぶことで、費用負担は少なくなりますが、他の入院患者さんのいびきや騒音などがトラブルにつながるケースもあります。

「公的医療保険があるため民間の医療保険は不要」という主張もありますが、自分の希望や考えに合わせて検討しましょう。

病気の備えとしてまず頼るべきは国民全員が入っている

公的な保険！

お金が増える
守り方
は、どっち？

Question

保障内容は「定期的に見直す」「しばらく変えない」？

時代に合わせて、保障内容も変わる

「保険は若くて健康なうちに入ったほうがいい」

このアドバイスは、保障の必要性があれば正解。

でも、契約したらしばらく変えないと決めつけずに、**定期的に見直す**ことをおススメします。

理由は、**長寿化**や**医療技術の進歩**により、保険料も保障内容も年々変化しているから。

たとえば死亡保険。２０１８年に生命保険料の計算基準となる**「標準生命表」**が11年ぶりに改定されました。死亡率が下がったため、以降に発売された保険商品は保険料が安い傾向にあります。

医療技術の進歩により**「日帰り入院」**が増えましたが、昔の医療保険では保障されないことも……。

同じ保障であっても保険料が安くなったり、同じ保障で保障の幅が広がることもあるのです。

保険料の決まり方

幅広い年齢層で死亡率が下がったため、
多くの保険会社は死亡保険の保険料を引き下げました。

保険料の内訳

● **将来の保険金などの支払いにあてる予定の部分**
予定死亡率・予定利率をもとに計算

● **保険事業の運営のためにあてる予定の部分**
予定事業比率をもとに計算

日帰り入院は増えている

内視鏡手術など、体への負担が少ない新しい手術技法が確立されたことで術後の回復期間が短縮され、入院期間は年々短くなっています。

● 平均入院日数と日帰り入院患者数の推移

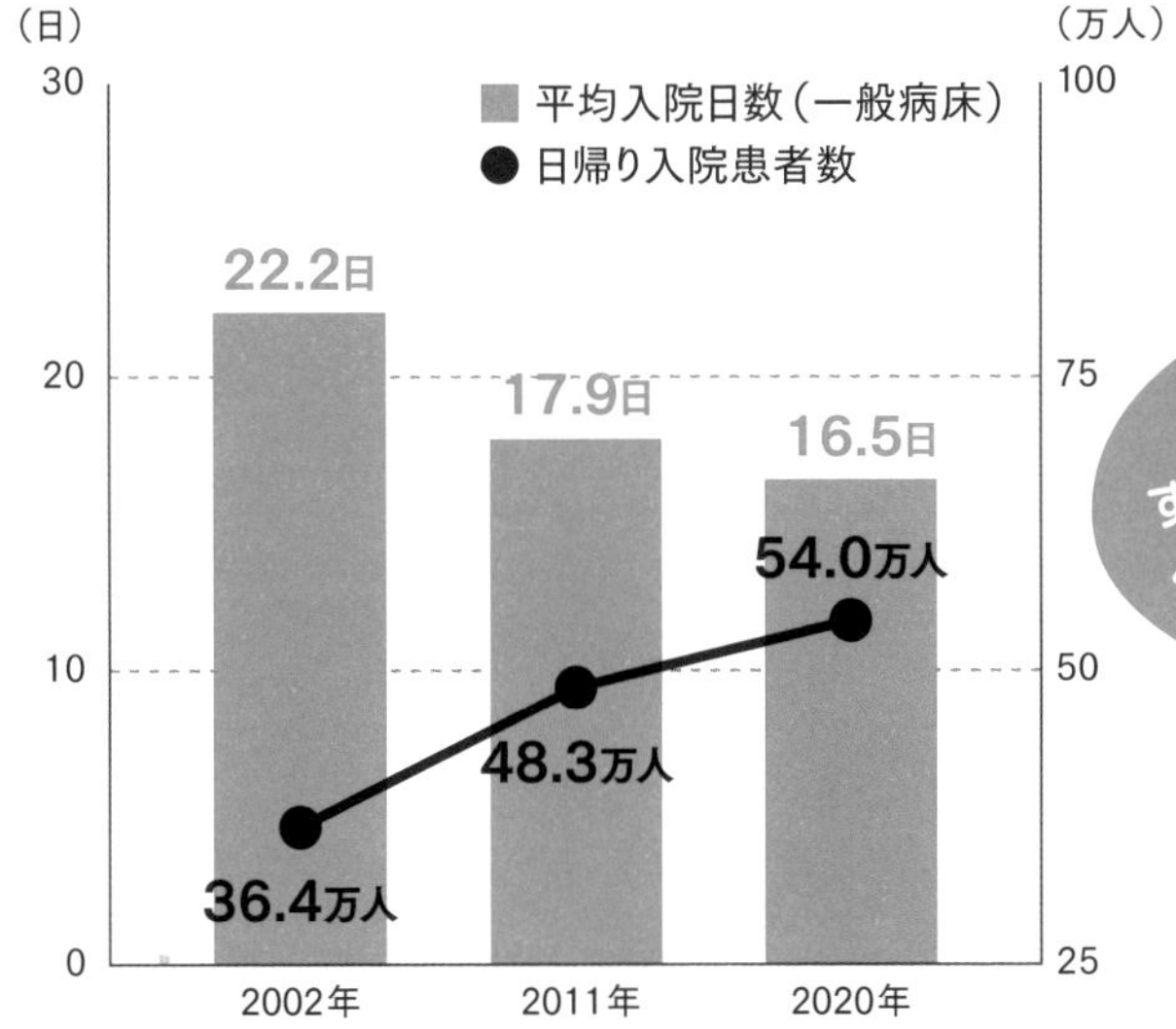

日帰り入院する患者さんは年々増加!

出典:厚生労働省「病院報告」「患者調査」
調査月の日帰り日数患者数を12倍して、年間人数を推計。

Point

見直しにより解約するともったいない商品が、お宝と言われる**一昔前の「積立型保険」**。たとえば、90年代に契約していれば、**予定利率が5%前後**と非常に高く、投資よりも手堅い運用先となります。

それが**個人年金保険**であれば**「保険料の増額」**や**「受給開始時期の繰り下げ」**により、さらに年金が増える期待も。予定利率の引き継ぎの有無など、保険会社により諸条件は異なります。

Answer

時代に合った保障にメンテナンスするため
定期的に見直す!

お金が増える
守り方
は、どっち？

Question

自動車保険は「毎年見直す」「継続して更新」？

手間をかけるだけのメリットがある

忘れたころにやってくるのが、自動車保険更新のお知らせ。あっという間に期日となり、そのまま**継続して更新**を選ぶ方も少なくないでしょう。

でも、お金を増やすためには、**毎年見直す**ことがおススメ。

各損害保険会社は、新規契約者向けにさまざまなサービスを用意しています。**インターネットからの申込みで1万円以上割引**されることもあります。満期日のたびに別の会社へ乗り換えることを検討しましょう。等級を引き継ぎながら、継続による更新よりもお得な契約を締結できる可能性が高いです。

過去に契約した保険会社であっても、新規契約者向けサービスは何度でも利用できます（会社によって異なります）。ぜひ、ご検討ください。

自動車保険を乗り換えると

現在の契約期間中に事故がない場合、乗り換えには下記のメリットとデメリットがあります。

●メリット

- □新規契約特典を受けられる
- □保険料の負担が軽くなる場合がある
- □サービスや補償を、自分に合ったものにできる

●デメリット

- □満期日前に乗り換えた場合、乗り換え先の保険会社で次の満期日を迎えるまで等級が上がらない
- □一部の共済からは、等級を引き継げない
- □必要な補償がなくなる可能性がある

毎年見直すことで大きな違いも

車の性能向上とともに交通事故死亡者は年々減少。運転者の情報を分析・取得して保険料を割り引くテレマティクスも登場し、さらに割安になると期待されています。

● 普通車（車両保険あり）・無事故の場合

対人・対物無制限、車両保険150万円、特約なし、無事故の場合

	等級	継続の場合	乗り換えた場合
1年目	15等級	42,000円	31,000円
2年目	16等級	41,500円	30,500円
3年目	17等級	41,000円	30,000円
4年目	18等級	40,500円	29,500円
5年目	19等級	40,000円	29,000円
6年目	20等級	34,000円	23,000円
7年目	20等級	34,000円	23,000円
合計		27.3万円	19.6万円

※ 上記はイメージです。

毎年乗り換えることで **7年間で約8万円お得!**

Point

比較検討には**一括見積もりサイト**の活用がおトク。一度の入力で複数社の見積もりが取れるうえ、見積もり依頼をするだけで、**プレゼントが当たるキャンペーン**なども行なっています。

ただし、各保険会社で**補償内容や特約の種類が違う**ので要注意。検討の際には、保険料だけでなく、補償内容についてもチェックしましょう。保険料が安くなった分、必要な補償もなくなっていたということのないようご注意ください。

Answer

新規契約者向けサービスと改訂された保険料を見比べて

毎年見直す!

お金が増える
守り方
は、どっち?

Question

火災以外にも備えるなら「共済」「保険」?

火災はめったに起こらない

不測の事態から家を守る手段に「火災共済」と「火災保険」があります。

「火災共済」はシンプルで割安。ただ、火災以外の自然災害に対する共済金の限度額が小さかったり、公的な地震保険にも加入できないなど補償範囲が狭い点には注意が必要です。

火災が起こる確率はわずか0・03%。火災以外にもしっかり備えるなら「火災保険」がおススメ。補償内容だけでなく、契約期間もカスタマイズ可能です。たとえば、川から遠い建物であれば「水災」の補償を外すなど、細かく選んで契約できます。特約によってさらに補償範囲を広げることもできるため、本当に必要なものを必要な分だけ備えることができるのです。

火災共済と火災保険の違い

建物が火災で被害を受けた際に補償される点は同じですが、細かな補償内容や条件にはさまざまな違いが。

	火災共済	火災保険
●メリット	シンプルで悩まない 掛け金が安い 割戻金がある	補償の幅が広い 火災以外も補償 カスタマイズできる 地震保険に入れる
●デメリット	カスタマイズ不可 地震保険は対象外 （地震共済はある）	保険料が高い 選択肢が多く悩む

こんなときにも使える火災保険

火災保険は、さまざまな自然災害や日常のトラブルでも
保険金の請求が可能です。請求漏れのないよう注意しましょう。

燃えた
小火が発生したので、消火のためにガラスを割った

雪災
一軒家で水道管が凍結して壊れた

水災
洪水で自宅敷地内から自転車が流された

紛失
自宅の鍵を失くしてしまった

壊れた
カバンの中に入れていた腕時計が、落ちて壊れた

その他
飼い犬が小さな子どもに噛みついてケガをさせた

※ それぞれに対応する補償に入っていた場合。

それぞれ請求すれば **保険金の給付が！**

Point

保険や共済に加入していても、保険金・共済金請求で損をしている人がいます。理由は、**契約者が気づいて自ら請求しないといけない**ため。契約内容を忘れてしまい、自費で直してしまった人も後を絶ちません。

被害箇所の写真は必ず残しておきましょう。仮に修理した後であっても、後日、写真を添えて申請することができます。**請求の時効は3年**。以前の自然災害で破損した箇所がないかもう一度確認しましょう。

めったに起こらない火災に備えつつ
火災以外にもしっかり備えるなら
（火災）保険！

お金が増える
守り方
は、どっち?

Question

自転車保険は「新たに加入」「加入しない」?

補償の重複は、もったいない

損害保険に加入していながら、自転車保険にも入っている人がいるかもしれません。

じつは**自動車保険**や**火災保険**に入っていれば、自転車保険に入らなくても、**同様の補償を受けられる**可能性があります。

一般的に自転車保険は**「個人賠償責任保険」**と**「傷害保険」**がひとつになったもの。個人賠償責任保険は、自動車保険や火災保険に付帯されていることもあります。都道府県の加入義務を満たしている場合、補償が重複するため、自転車保険に改めて加入する必要はないかもしれません。

傷害保険については、ケガをした場合に必要となる補償を確認し、不安があれば傷害保険や医療保険を検討してもいいでしょう。

まずはステッカーをチェック

購入した自転車に、防犯登録に加えて下記のステッカーが貼られている場合、加入義務を果たしています。

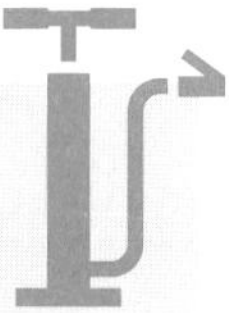

●TSマーク

自転車安全整備士が有料で点検整備した
自転車に貼られるもの。
賠償責任保険と傷害保険が添付されており、
色によって補償の限度額が異なる。
有効期限は1年間。

【緑色TSマーク】
賠償責任保険
死亡・重度後遺障害

限度額 **1億円**

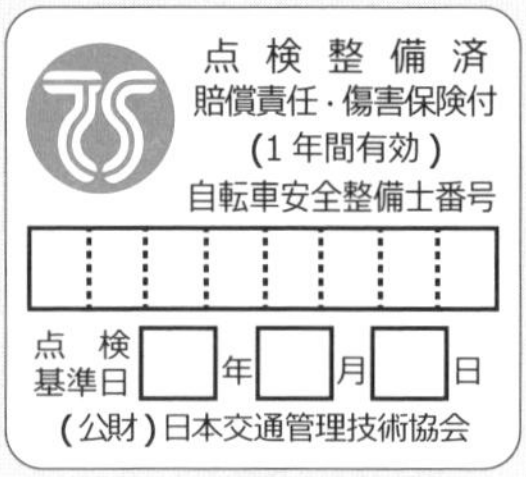

画像提供/(公財)日本交通管理技術協会

事故により高額な賠償金を請求されることも

自転車事故は、死亡事故に発展する可能性もあります。高額な賠償請求によってライフプランが大きく狂うことのないようしっかり備えましょう。

高額賠償例❶

坂道を下ってきた小学5年生が運転する自転車と、歩行中の62歳の女性が衝突した事故。

被害を受けた女性は頭の骨を折るなどし、意識不明の重体となった。

神戸地裁 平成25年7月判決

(賠償額)

9,520万円

高額賠償例❷

自転車運転中の男子高校生が車道を斜めに横断し、対向車線を自転車で直進してきた24歳の会社員に衝突した事故。

会社員には言語機能の喪失などの重大な障害が残った。

東京地裁 平成20年6月判決

(賠償額)

9,266万円

自分の人生が破綻するほどの **高額賠償!**

Point

自転車保険の保険料は、**個人型で年間3,000円〜5,000円程度、家族型で4,000円〜20,000円程度**と保険金額や補償内容によって異なります。

自動車・火災保険の契約がなく、自転車保険の加入を検討している人は、クレジットカードを保有することで加入できる個人賠償責任保険がおススメ。カード会社が用意している個人賠償責任保険は、月々の保険料が200円程度と格安で**家族全員が補償**されます。

Answer

自動車・火災保険に加入済みで補償の重複があるなら

加入しない!

お金が増える
守り方
は、どっち?

Question

住宅ローンは「繰り上げ返済」「ゆっくり返済」?

余剰資金の使い方は、金利次第

繰り上げ返済とは、毎月の返済額以外に、貯蓄やボーナスなどを使って、住宅ローンの一部を予定よりも早く返済すること。トータルで**支払う利息を減らす**ことができるため、ローン総額を抑えることができます。ただ、やりすぎには要注意。子どもの学費が足りなくなり、金利の高い教育ローンを組むケースも見られます。

繰り上げ返済は、借入金利が低いと、大きな効果が得られません。そのため、低い金利で住宅ローンを借りることができている現在においては、あえて繰り上げ返済をせずに、**ゆっくり返済**がおススメ。**余剰資金を投資に回す**ことで、返済する利息分以上のリターンを得て、資産を増やしましょう。

■繰り上げ返済の2つのタイプ

1

繰り上げ返済には以下の2種類があります。
あなたの希望に合わせて使い分けましょう。

●返済額軽減型

□返済期間を変えずに、毎月の返済額を少なくする

例：子どもの進学に合わせて返済額を減らしたい
金利の変動によって増えた返済額を減らしたい
転職や配偶者の収入が減る予定がある

●期間短縮型

□毎月の返済額を変えずに、返済期間を短くする

例：定年までに返済したい
金利の変動によって増えた返済額を減らしたい
少しでも支払う利息を減らしたい

繰り上げ返済よりも投資がお得!?

4,000万円を元利均等返済の
35年ローン（金利1.0%）で借りている場合。

● 繰り上げ返済せずに、ゆっくり返済する場合

総返済額 約**4,743**万円

繰り上げ返済

**10年後に300万円を
繰り上げ返済**

●期間短縮型

**総返済額
約 4,743 万円**

▼

**総返済額
約 4,664 万円**

**79万円
お得!**

ゆっくり返済

**繰り上げ返済の
代わりに10年後に
300万円を投資**

［利回り 3.0%/ 年］

**投資
約 300 万円**

▼

**25年後の
予想資産額
約 635 万円**

**335万円
の期待!**

※繰り上げ返済にかかる費用や、投資にかかる手数料は考慮していません。

Point

繰り上げ返済には**手数料がかかる**ことがあります。特に地方銀行で住宅ローンを組んでいる人は、手数料が高く設定されていることが多く要注意。定期的に繰り上げ返済を検討しているなら、手数料のかからない**ネット銀行**への借り換えもおススメ。繰り上げ返済をするなら、**早く実行したほうが有利**。返済額が多ければ多いほど、返済のタイミングが早ければ早いほど総返済額を軽減できます。

Answer

**余剰資金は返済より運用へ！
低金利の期間の住宅ローンは**

ゆっくり返済！

お金が増える
守り方
は、どっち？

Question

住宅ローンは「借り換える」「払い続ける」？

市況や金融機関によって金利は違う

住宅ローンの金利は、市況や金融機関によって異なります。状況によっては、ローンを組んだときより、有利な条件で借りることができる可能性も。一度決めたら払い続けると決めつけず、**借り換えを検討**することをおススメします。

借り換えが有利になる目安は**「金利差が１％以上違う」「ローン残高が１０００万円以上」「残りの返済期間が10年以上」**の３つ。

借り換えに諸経費がかかることもあるため、慎重に考える必要はあります。ただ３つの条件に当てはまる人は、返済総額が大きく下がる可能性もあり、前向きに検討しましょう。

借り換えにかかる各種手数料によっては、金利差が少なくてもメリットが出る場合もあります。

借り換えにかかる諸経費 ［目安］

諸経費の支払いに躊躇して、借り換えに踏み出せない方は
諸経費込みで借り換えられる住宅ローンがおススメです。

- 全額繰り上げ返済手数料 無料～５万円
- 印紙税 200円～6万円
- 保証会社手数料 無料～5万円
- 事務手数料 3万～5万円または借入金額の2.2%
- 登記費用 約20万円（司法書士手数料含む）
- 団体信用生命保険

保障範囲が変わるかも

生命保険の保障の見直しも要検討

死亡した場合に、住宅ローン残高が０円となる保険。
がんと診断されただけで保険金がおりる「がん団信」
などもあります。費用負担なしで付帯できることも。

住宅ローンの借り換えシミュレーション

WEBでの借り換えの仮審査や、諸経費込みのシミュレーションができる銀行が増えています。まずは自分の現在の状況でどれだけ変わるか確認してみましょう。

● 残高3,000万円の住宅ローンの比較

住宅ローンを5年後に30年返済のローンに切り替える場合

払い続ける

借入額	3,000万円
金利	1.5%
期間	30年
毎月返済額	10万3,536円
総返済額	約3,728万円

借り換える

借入残高	3,000万円
金利	0.4%
期間	30年
毎月返済額	8万8,447円
総返済額	約3,185万円
諸経費	90万円
総支払額	約3,275万円

※ 総返済額は借り換え前の返済額を含み、金利が変わらなかった場合の金額。

借り換えると
約450万円
お得!

Point

借り換えよりも簡単な見直し方法が、今借りている住宅ローンの金利を下げてもらう**「条件変更」**。他行から金利の安い借り換えの見積書をもらい、それを片手に交渉しましょう。金融機関にとっても、**借り換えられるより、借り続けてもらえたほうがいい**ため、交渉次第で金利が下がることも。

手続きに手間がかからないメリットがある一方、借り換えほど有利な金利への変更は難しいと考えておきましょう。

毎月の支払いが安くなる場合も
団信の保障範囲が広がる場合も

借り換える!

お金が増える
守り方
は、どっち?

Question

認知症の対策には「後見人」「家族信託」?

ランニングコストを考えると……

認知症などを理由に、金融機関から判断能力がないと判断されると、預金口座や新NISA口座は凍結され、**お金を動かせなくなります。**

こうした判断能力がなくなった方を支援する制度が**「法定後見制度」**。家庭裁判所で後見人が選ばれるのですが、申し立てから決定まで2〜4カ月程度と、時間がかかります。また、管理財産額に応じて毎月の報酬が発生するため、費用は高額になりがち。

「任意後見」は、判断能力があるうちに自らが選んだ人（任意後見人）を決めておく制度。任意後見監督人へ月1万〜3万円の報酬が発生します。

費用面を考えるのであれば「家族信託」がおススメ。家族による財産管理法のため、低コストで利便性の高い制度です。

認知症の人は今後増える

「65歳以上の認知症患者の推定数と推定有病率」によると、2060年には65歳の3人に1人は認知症に!?

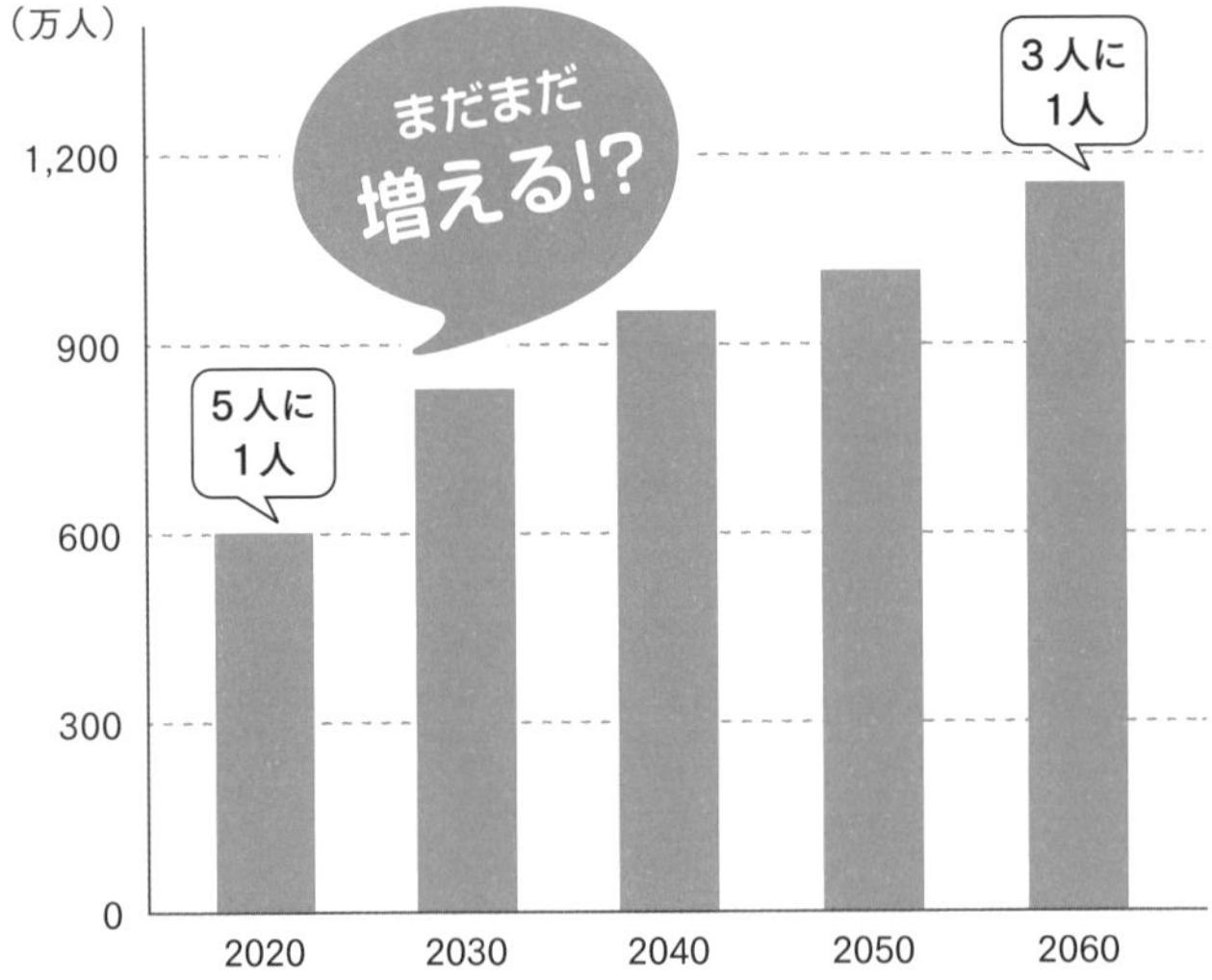

出典：内閣府「平成29年版 高齢社会白書」

法定後見の費用負担は大きい

「法定後見」は、初期費用は抑えられるものの、法定後見人への報酬が毎月かかる制度。長く続くとそれだけ管理財産が減る。

● 管理する財産が3,000万円だった場合

家族信託

費用	
専門家のコンサル費	**30万円**
公正証書の作成費用	**7万円**
公正証書の手続き代行費用	**12万円**
行政書士の費用（不動産保有）	**12万円**

トータルコスト
61万円

法定後見

費用	
申し立て・書類登記費用	**1万円**
医師の鑑定費用※必要な場合	**7万円**
弁護士など専門家への依頼費	**20万円**
法定後見人への報酬	**48万円/年**

毎年かかる

10年間続いた場合
508万円

費用負担により10年間で **財産が17％減！**

Point

生命保険に付帯される**「契約者代理人」**は、認知症などに伴う金融口座凍結の対策に使える制度。契約者が認知症などになった場合、代理人が保険の解約や、積立金の引き出しを行なう制度で、**代理人の口座に着金できる契約**であれば、必要に応じて金融資産を活用することが可能に。もちろん、契約者の資産であり、代理人が**私的に使うと贈与に該当**することがあるので注意。

詳しくはご契約中の保険会社にご確認ください。

Answer

初期費用はかかるものの、ランニングコストのかからない

家族信託！

お金が増える
守り方
は、どっち？

Question

最安値で買うなら「現地交渉」「ネット検索」？

高額商品になればなるほどお得!?

テレビ・冷蔵庫・エアコンなどの高額商品を、最安値で買いたいなら**「現地交渉」**がおススメ。**ネット検索**で最安値を確認したら、家電量販店に行って、販売員に声をかけましょう。

たとえば、冷蔵庫コーナーで「冷蔵庫**（欲しいもの）**と洗濯機**（欲しいものと同額程度）**のどちらかを買いたい」と伝えます。すると販売員は、目の前のお客さまを失いたくないという思い**（損失回避性）**から、積極的に提案をしてくれます。

重ねて「他店では12万円だった」などと情報を見せれば、他店の金額をベースに販売員が値引きを検討してくれます。仮に最安値とならなくても、**ポイント還元**などにより、結果的に割安に買えることが多いです。

行動経済学は交渉に使える

「行動経済学」とは、直感や感情に左右されて
非合理なことをしてしまう人間心理を学ぶ学問です。

●損失回避性

□「手に入れる」ことより「損をする」ことを
回避しようとする現象
例）目の前のお客さまを他店に取られたくない

●サンクコスト効果

□使ったコストに対して「もったいない」という心理
が働き、合理的な判断ができなくなる現象
例）接客に時間をかけた以上、何とか買わせたい

販売員の感情を揺さぶり **交渉を有利に！**

現地交渉で得られるメリットとは？

直接的な値引きだけでなく、タイミングによっては
割安に買物ができるなど、さまざまなメリットが得られます。

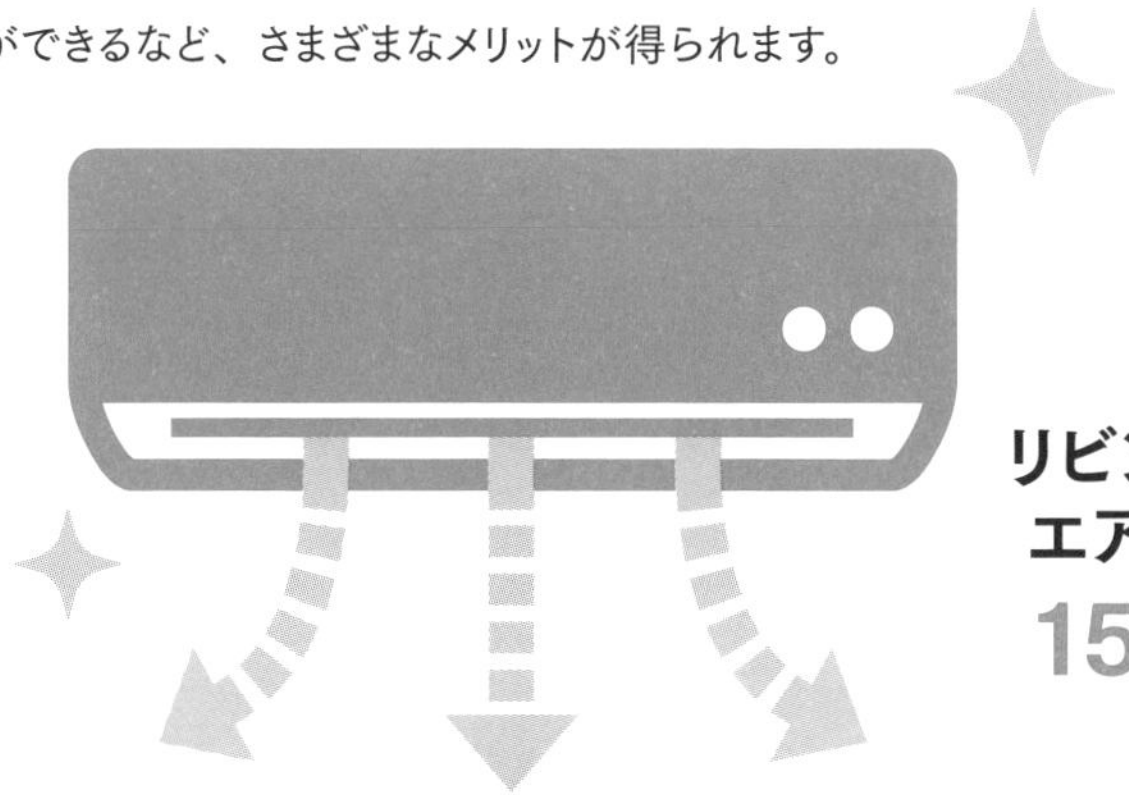

リビングのエアコン 15万円

割引
決裁権を持つ中堅社員への交渉で
3万円引きに
20%OFF

ポイント還元
キャンペーンによりポイント還元率アップ
15%還元
13%OFF

その他
値引きの代わりに別の家電を
プレゼント
??

大型家電はネット検索よりも **現地交渉が割安!**

Point

相談から始めることが値引きのコツ。いきなり「安くして!」と言うのではなく「〇〇を買いたいと考えているのですが」と**相談から入る**ほうが、販売員に柔らかい印象を持ってもらえます。

その後、**購入に踏み切る具体的な金額**と、その**根拠となる情報を提供**し、**販売員が値引きしたくなる状況**をつくりましょう。他店の情報提供は、販売員が上司に値引きの承認を得るための説明材料になります。
画像の用意は必須です。

Answer

大型家電など、高額商品なら
値引きやサービスにより割安になるため

現地交渉!

Question

節約するなら「携帯電話代」「家族旅行費用」?

長期的に家計を助ける節約は

支出は大きく「固定費」と「変動費」に分けられます。節約に取り組むなら、まず「固定費」から手をつけるのがおススメ。

固定費とは、住宅ローン・家賃などの住居費や、水道光熱費、携帯電話代など、定期的に支払いが発生するもの。早く見直すほど、長期的に支払いを抑えることができるため、大きな効果を得られます。支払いの多いものから順に、住居費↓保険料↓通信費↓水道光熱費などを、見直しましょう。

変動費とは、交際費や家族旅行費用など。発生の頻度が低く、金額も一定でないことから、事前に用意が難しく、節約の効果も薄いといえます。

固定費で我慢して節約しているなら、家族の思い出となる旅行の費用は多めにみましょう。

固定費と変動費

毎月一定の金額を支払っていくものは「固定費」、
支払い額がその月によって変わるものが「変動費」です。

固定費

- 住居費
- 保険料
- 車の維持費
- 通信費
- 教育費
- 水道光熱費

など

電気代は、夏場や冬場の上昇に注意

変動費

- 食費
- 交際費
- 交通費
- 日用品
- 医療費
- レジャー費用

など

宿泊代などは時期によって費用が変わる

固定費の節約は効果絶大

契約を見直す際に、検討や手続きなどに時間はかかりますが、
効果が毎月蓄積されるため、長期では大きな金額を節約できます。

● 固定費の見直しによる年間の節約効果

- 住宅ローン借り換え（金利ダウン）── 12万円
- 生命保険見直し ── 15万円
- 自動車保険乗り換え（ネット損保へ）── 1.5万円
- 携帯電話を格安SIMへ ── 6万円
- 電力会社切り替え（噂の新電力）── 2万円
- フィットネスジムの解約 ── 9万円

※ 上記はイメージです。

節約の効果は **年間45万円以上!?**

Point

節約のコツは3つ。❶**変更**──住宅ローンの借り換えや、携帯電話を大手キャリアから格安SIMへ乗り換えたり、電気・ガスを1社にまとめること。❷**減額**──保険の保障・補償を減らしたり、通信費を安いプランに変更する。❸**解約**──利用頻度の低いサブスクや、惰性で買い続けているマンガや雑誌をやめる。

それぞれが少額であっても**合算し、数年間の効果を考える**と大きな違いとなります。

Answer

賢く節約するなら、長期的に固定費を抑えられる

携帯電話代！

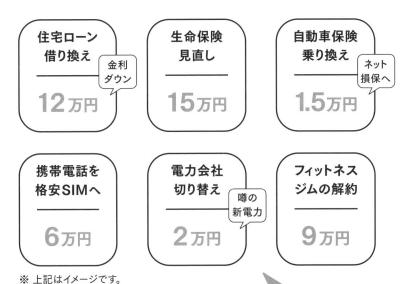

Question

お得な返礼品は「高級羽毛布団」「肉や海産物」?

還元率で比べると一目瞭然

ふるさと納税は、自分の住んでいる自治体以外に寄付をすることで、**寄付のうち2000円を超える額について、税金の控除が受けられる**制度。

控除される寄付額の上限は、所得に連動します。収入が多い人ほど返礼品の選択肢は増えますが、一度の手続きで済む**高額な返礼品**を選びがち。

しかし返礼品をお得にもらうなら、**少額の返礼品を複数もらう**ことが正解です。

返礼品の調達額は、寄付額の3割以内と決まっています。希望者が多い、少額の返礼品のほうが、割安に仕入れられるため、寄付額に対して市場価値の高いものを返礼品として提供できるのです。

寄付額に対する市場価格の割合を示す**「還元率」を表示したサイト**も参考になります。

ふるさと納税の仕組み

ふるさと納税は、寄付金控除の制度により所得税と住民税の控除が受けられます。

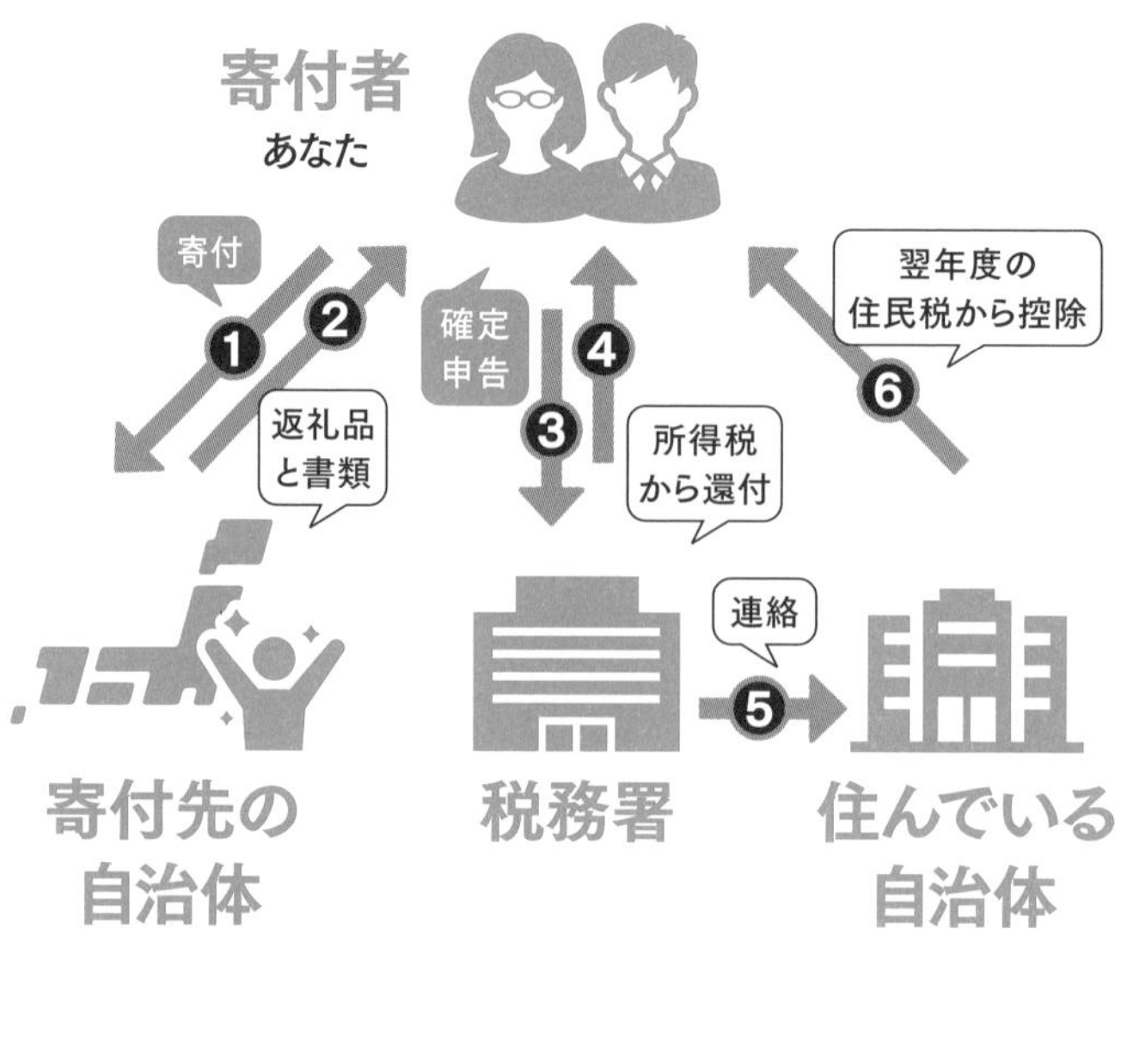

少額の返礼品のほうが還元率が高い

返礼品の調達額の上限は、寄付額の３割以内と決まっていますが
市場価格で考えた場合、寄付額に迫るお得な返礼品が存在します。

● 還元率※の高い返礼品の例

※返礼品の実売価格（送料含む）÷ふるさと納税の寄付金額（円）×100

返礼品	寄付金額	還元率
1 宮崎牛赤身霜降りすきしゃぶ 宮崎県	21,000円	115%
2 宮崎牛モモステーキ 宮崎県	20,000円	115%
3 うにホタテ豪華海鮮丼 北海道	18,000円	101%
4 訳ありマグロの漬け丼の素 高知県	5,000円	99%
5 どっちのハンバーグ!? 福岡県	10,000円	98%
6 伊万里牛A5ランク 佐賀県	15,000円	95%
7 佐賀牛入り熟成ハンバーグ 佐賀県	9,000円	93%
8 伊万里牛切り落とし 佐賀県	12,000円	93%

出典：ふるさと納税ナビ「2024年最新！ふるさと納税 高還元率ランキング ベスト100」1/19時点

少額の返礼品は高還元率!

Point

ふるさと納税は、所得によって寄付額の上限が決まっています。収入がわかっていれば、問題ないと思われがちですが、ここに落とし穴が。それが**「医療費控除」**。入院費、治療費、処方箋をもとに購入した医薬品などの医療費の合計額から**10万円を超える部分について税金の控除が受けられる**制度です。医療費控除を受ける場合、ふるさと納税における寄付金控除の上限額は減ります。

事前に必ず試算しましょう。

ふるさと納税のお得な返礼品は還元率が高い

肉や海産物!

お金が増える
守り方
は、どっち?

Question

先に受け取るなら「退職金」「iDeCo」?

退職所得控除をフル活用しよう

老後資金の原資となる「退職金」と「iDeCo」。一時金として受け取る順番が選べるなら、「iDeCo」から受け取るのが正解。

理由は、受け取った順番によって**退職所得控除の勤続年数を調整される**ことがあるため。

退職金を先に受け取り、iDeCoを**19年以内**に受け取ると、iDeCo加入期間と勤続年数の重複期間は、退職所得控除の勤続年数から差し引かれます。逆に、iDeCoを先に受け取り、退職金を**4年以内**に受け取ると、重複期間が退職所得控除の勤続年数から差し引かれます。

手取りを最大化したいなら、**iDeCoを先に受け取り、5年以上あけて退職金を受け取ること**。退職所得控除をフル活用しましょう。

受け取り方による違い

退職金やiDeCoの受け取り方には「一時金」と「年金」があります。お金の管理が不安な人は年金も選択肢です。

一時金

● **メリット**

- □ 退職所得控除により、年金受け取りよりも手取りが多い傾向

● **デメリット**

- □ 受け取った後のお金の管理が難しい

年金

● **メリット**

- □ 受給中に1%ほど利息がつく

● **デメリット**

- □ 公的年金等控除による非課税はあるが、一時金受け取りよりも効果が小さい

受け取る順番で手取りが変わる

「退職金」と「iDeCo」は、受け取った順番により、退職所得控除の勤続年数を調整される期間が変わります。

● 退職所得の手取りの違い

30年勤務、iDeCo加入期間10年の場合

退職金 → iDeCo

60歳で退職金受け取り
1,500万円
65歳でiDeCo受け取り
400万円
退職所得控除
1,700万円

（手取り）
1,885万円

iDeCo → 退職金

60歳でiDeCo受け取り
400万円
65歳で退職金受け取り
1,500万円
退職所得控除
1,900万円

（手取り）
1,900万円

手取りが15万円アップ!

※ 復興特別所得税は考慮していません。

Point

退職金を受け取る時期は、勤務先によって決められています。iDeCoを先に受け取れず、合算した金額が退職所得控除額を大幅に越える場合は、**一時金と年金の併用**がおススメ。

たとえば、**退職所得控除の範囲内で一時金**を受け取り、残額を**公的年金等控除の範囲内で年金**として受け取ることで、手取りを最大化できるのです。一度に大きなお金を手にすることがないため、**散財**しにくいというメリットもあります。

Answer

手取りを最大化するためにも先に受け取るのは一時金で

iDeCo!

お金が増える
守り方
は、どっち？

Question

資産を取り崩すなら「定額」「定率」？

大切な資産を長持ちさせるために

老後の生活費が、公的年金と私的年金だけでは不足する場合、現役世代に築いた**資産の取り崩し**が必要となります。

資産を長持ちさせるコツは、**運用を続けること**と**取り崩しのルールを決める**ことの２つ。

定年後、新規の積み立てをストップしてもいいですが、運用は続けましょう。年率３％程度の投資信託を使った運用で十分です。世界の経済成長に合わせて、資産が増える期待を残せます。

取り崩しのルールは、資産に対して「定額」か「定率」のどちらかが一般的。ここでは**「定率」がおススメ**。取り崩し額が徐々に少なくなることもあるため注意が必要ですが、「定額」と比較して資産が長持ちしやすい傾向にあります。

老後資金の枯渇を防ぐ

運用をやめてしまうと、資産を取り崩せる期間が年単位で短くなることもあります。

たとえば、2,400万円の老後資金を取り崩す場合

運用をやめる	運用を続ける
● 運用利回り **0%**	● 運用利回り **3%**
● 取り崩し額 **10万円／月**	● 取り崩し額 **10万円／月**
● 資金がゼロになる時 **20年後**	● 資金がゼロになる時 **30年3カ月後**

運用を続けることで資産寿命が **10年延長！**

「定率」と「定額」の取り崩しの違い

取り崩しシミュレーションは、FP（ファイナンシャルプランナー）の持っているツールや金融機関のホームページなどで確認できます。

● 2,400万円を取り崩した場合の比較

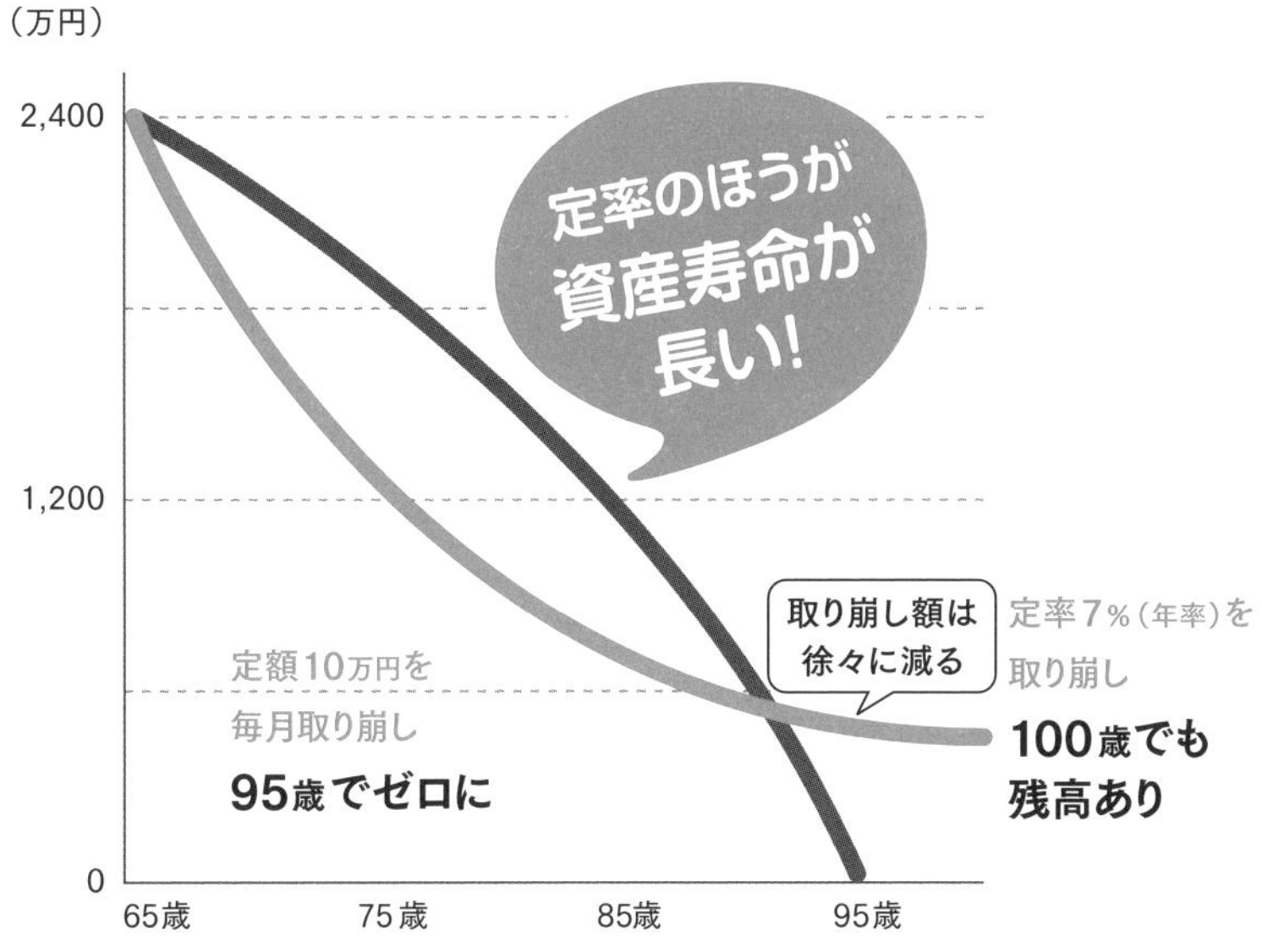

※ 残高を年率3%で運用。

Point

複数の金融商品を保有している場合、取り崩しの順番は**リスクの大きいもの**からが正解。特に株は、振れ幅が大きい金融商品。高齢になると、一度下がった市場が回復するまで**時間的に待てない**こともあるため、優先的な売却がおススメです。

逆に、市場がいいと思っても**一括での売却**は避けましょう。コツコツ積み上げたように、コツコツ売却することで、平均売却価格を安定させることができるのです。

Answer

大切な資産が長持ちしやすい取り崩しのルールは

定率!

Column 4

民間の医療保険を検討する前に、知っておきたいこと

病気やケガにより病院のお世話になったとき、保険適用治療の自己負担の割合は、公的医療保険制度により全国一律で決まっています。さらに治療費が高額になった場合でも**「高額療養費制度」**という、収入に連動して自己負担額の上限を決める制度もあるため、治療費の持ち出しは限定的です。

さらに、ここでチェックしておきたいのが、**健康保険証**。

保険者名称として書かれている名前をインターネットで検索してください。「医療費が高額になったとき」「高額な医療費がかかったとき」などから調べていくと**「付加給付制度」**を実施している健康保険組合があります。

付加給付とは、高額療養費制度を適用したうえで、さらに健康保険組合が費用負担をしてくれるもの。

たとえば、付加給付により自己負担の上限額が2万円と設定されている健康保険組合の場合。病院から請求された治療費が100万円だったとしても、最終的な自己負担額は2万円だけです。

この程度の額であれば、病気になったときの費用負担を心配する必要はないかもしれません。

また、健康保険組合によっては、心身のリフレッシュのために、**フィットネス施設**や**スポーツ施設**、**ゴルフ場**、**宿泊施設**と提携しているなど、さまざまなサービスを割安で利用できます。他にも、割引価格の**各種健診**や、**無料の禁煙サポートプログラム**を用意している健康保険組合もあります。

健康保険組合は、毎月の給料から天引きされている保険料によって維持されています。自分が受けられるサービスをよく調べて、効果的に活用しましょう。

5章

お金が増える残し方は、どっち？

Which is the best way to leave your money?

お金が増える
残し方
は、どっち?

Question

家族に資産を残すなら「相続」「贈与」?

ポイントは資産の渡し方

家族に資産を渡す際にかかるのが**「相続税」**と**「贈与税」**の2つの税金。

死後に渡すことを「相続」。生前に渡すことを「贈与」といい、それぞれ税金のかかり方が違います。

では、どちらが多くの資産を残せるでしょうか。

ポイントは**資産の渡し方**。相続は全財産を必ず一括で渡すため、大きな額が課税対象になります。

一方、贈与は全財産ではなく、分割して渡すことが多く、1回の課税対象は少額になりがちです。

そのため、相続よりも贈与のほうが税率が下がり、お得になることがあります。

相続税の課税対象となる人は、年々増えています。

自分が築き上げた資産を、**少しでも多く家族に残す**ためにも、しっかり考えましょう。

相続と贈与の違い

どちらも資産を渡すことですが、受け取る人の条件やタイミング、課税される税金などが違います。

	相続	贈与
内容	死亡により、一定の親族に資産を引き継ぐ	契約により、相手に資産をタダで渡す
資産をもらう人の条件	一定の親族関係にある人	誰でも可能
資産の渡し方	一括	分割もしくは一括
資産を移す時期	被相続人の死亡時	いつでも可能
課される税	相続税	贈与税

贈与により相続後の手取りが増える

贈与を受けた子どもや孫が、贈与を受けた年の1月1日時点で、18歳以上の場合、特例税率が適用されてさらにお得になります。

● 税金のかかり方（相続人が 30 歳の子ども 1 人の場合）

「特例贈与財産用」の特例税率を適用

資産
7,000万円

相続のみ

相続税
480万円

（手取り）
6,520万円

贈与＋相続

	生前贈与	贈与税
1年目	200万円	9万円
2年目	300万円	19万円
3年目	200万円	9万円
4年目	300万円	19万円
5年目	250万円	14万円

数年かけて贈与

10年後に相続が発生

相続資産	相続税
5,750万円	273万円

（手取り）
6,657万円

贈与をしたことで **手取りが137万円アップ!**

Point

資産を**受け取る人**にとっても、**価値が高いのは贈与**。今100万円を受け取れば、スキルアップや投資など、さまざまなことに利用できます。そこで得た経験が、後の人生で100万円以上の**価値を生む**ことは十分あるでしょう。

一方、30年後に100万円を受け取った場合、選択肢は今より減り、インフレによりお金の価値も下がっているかもしれません。資産は、早く受け取ることが一番です。

Answer

資産を渡すなら、受け取った人が価値を発揮しやすい

贈与!

お金が増える
残し方
は、どっち？

Question

生前贈与するなら「子ども」「孫」？

相続財産に持ち戻されないのは

相続人が亡くなった人から**7年以内に贈与された資産**は、大部分が相続財産に加えられ、相続税がかかります。このルールを「**持ち戻し**」といいます。仮に、贈与を受けたときに贈与税を支払ったとしても、相続税は調整されるため、二重に課税されることはありません。

相続財産の持ち戻しは、相続人となった子どもには適用されますが、相続人でない人への贈与には適用されません。つまり、**相続人ではない孫に行なった生前贈与**については、適用されないのです。

これは、将来の相続財産（相続税）を減らすことができる有効な相続対策であり、相続開始直前であっても実行できます。贈与契約書を作成して、**贈与の証拠**は必ず残しておきましょう。

相続財産の持ち戻し

相続人ではない「孫」や、「子どもの配偶者」への贈与は相続財産の持ち戻しの対象外となります。

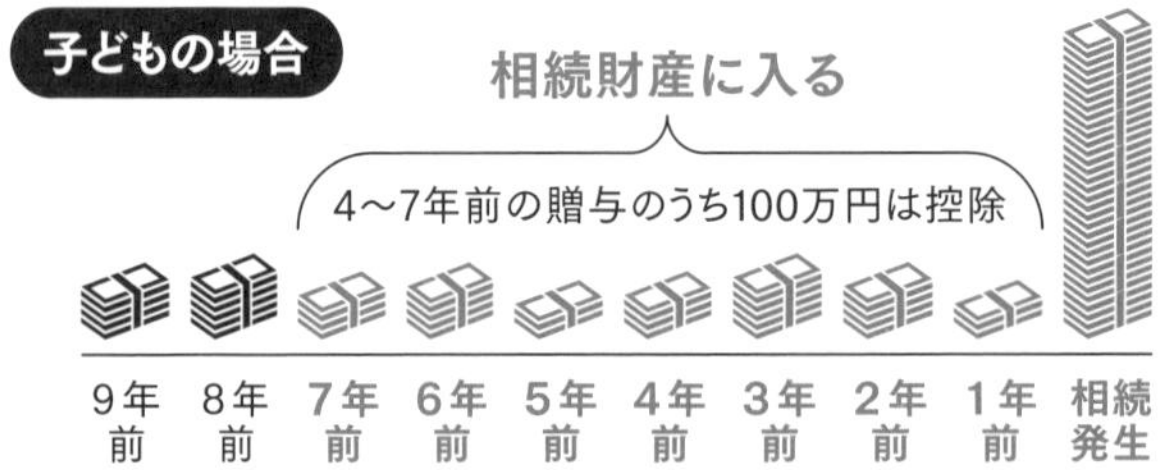

孫への贈与は早いほど効果大

孫への生前贈与は、相続税対策として有効です。できるだけ早い段階から贈与を始めることで、より相続税の節税効果が大きくなります。

● 子どもと孫の持ち戻し額の比較

	子ども（相続人）	孫（相続人ではない）
8年前の贈与　100万円	—	—
7年前の贈与　60万円	60万円	—
6年前の贈与　80万円	80万円	—
5年前の贈与　40万円	40万円	—
4年前の贈与　60万円	60万円	—
3年前の贈与　100万円	100万円	—
2年前の贈与　80万円	80万円	—
1年前の贈与　40万円	40万円	—
相続開始時の持ち戻し額	360万円	0円

100万円分を控除

相続人ではない孫の場合　持ち戻し**なし！**

Point

贈与税の非課税枠におさまる110万円以下の金額を、孫の預金口座へ10年間送金した結果、相続税を課税された方がいます。これは、**口座の名義人**と**実際の所有者**が異なる**「名義預金」**と判断されたケース。

正しい贈与と認められるためには、**通帳**や**キャッシュカード**を孫に渡し、孫が**自分自身で口座を管理**する必要があります。そのうえで**贈与契約書**を必ず作成しておきましょう。

Answer

生前贈与するなら、渡した財産が相続時に持ち戻しの対象とならない（相続人ではない）

孫！

お金が増える
残し方
は、どっち?

Question

教育資金なら「その都度贈与」「一括で贈与」?

祖父母からの贈与もお得な制度が

祖父母から孫に教育費を贈与する際に、非課税にできる制度があります。それが**「都度贈与」**

たとえば、**入学金**や**授業料**を、その都度、祖父母から学校に直接振り込むことにより、非課税で資金を提供することができます（税務調査に備えて通帳の記帳や、領収書の保存をお忘れなく）。

さらに使い勝手がいいのが、**「教育資金の一括贈与」**。**1500万円まで非課税**になります。贈与した人が亡くなったとしても、受け取った人が23歳未満であれば、相続財産に加算されません。

贈与税は受け取った人が30歳に達した際、口座に残っていた金額に対してかかるもの。当初の金額よりは少なくなっているはずなので、税金も安くなるのです。

教育資金の一括贈与

習い事の範囲は広く、野球・水泳などのスポーツやピアノ・絵画などの文化芸術に関する教室も対象です。

	内容
贈与の目的	学校の入学金や授業料 習い事・塾の費用
非課税限度枠	**1,500万円**（うち学校以外は500万円） 1人が受け取れる上限
贈与者の条件	受贈者の**父母・祖父母**
受贈者の条件	**30歳未満**（前年所得1,000万円以下）
贈与税の課税	**受贈者が30歳に達した際、口座に残っていた金額に対して発生**
相続発生時	**受贈者が23歳以上で学生でない場合は、口座に残っていた金額が相続財産に加算**（孫は2割加算）※

※ 遺産額が5億円超の場合、相続税の対象。　2026年3月末まで

一括贈与により事前に教育資金を確保

遺産の分割協議が長引き、相続財産に手をつけられなくても
事前に一括贈与を受けておくことで、教育資金を確保できます。

● 教育資金の一括贈与の流れ

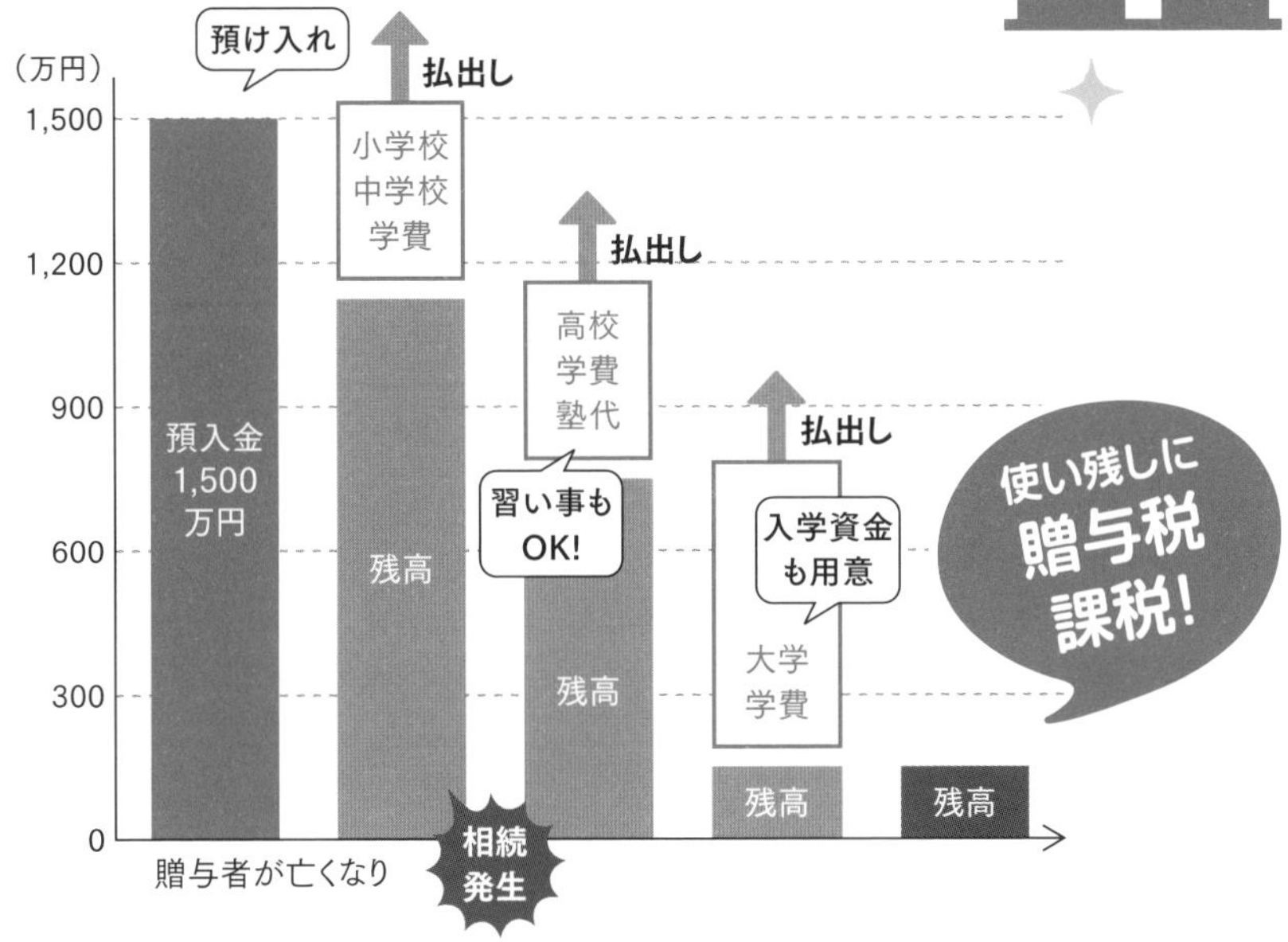

Point

贈与額が多いなら**「都度贈与」と「一括贈与」の組み合わせ**が有効。

預金口座を開設して一括贈与を済ませた後、**祖父母が元気なうちは「都度贈与」**によって教育資金をもらいましょう。認知症発症や相続が発生した後は、一括贈与の口座から教育資金を受け取ることで、受取額を最大化できます。

教育資金の渡しすぎで生活に困らないように注意しましょう。

Answer

教育資金なら
納税時期を後ろ倒しにできるため

一括で贈与!

お金が増える
残し方
は、どっち？

Question

相続人が争わないのは「不動産」「保険」？

争族を避けるためにも

相続人が1人であれば、争いは起こりません。その場合、**「不動産」**を遺すと、相続税の評価額を抑えられるため有効です。

しかし相続人が複数の場合、不動産は分割や早期の現金化が難しく、〝争族〟の原因になることも。

そこで、2つの効果がある**「生命保険」**の出番。

❶相続財産の圧縮――受け取った保険金には「500万円×法定相続人の数」で計算される非課税枠があります。現金を保険に置き換えることで相続税評価額を減らせるのです。

❷納税の準備――保険金は、すぐに現金で支払われるため、相続税の納税資金に充てられます。

保険金の受取人は指定できるため、**希望する相手に確実にお金を遺す**ことができます

不動産を相続すると

不動産には経済的なメリットが多い反面、
経済的なデメリットも存在します。慎重に考えましょう。

●メリット

- □相続税の計算時の不動産評価額は、実勢価格の2~3割ほど低く評価され、相続財産を減らせる
- □物件を賃貸に出すことで、賃貸収入を得られる
- □不動産相続に関する控除や特例を利用できる

●デメリット

- □固定資産税や修繕費などのコストがかかる
- □借り手がいないと賃貸収入を得られない
- □分割や、すぐに売却することが難しい

相続税を抑えられる不動産と生命保険

現金よりも、不動産を相続したほうが、相続税評価額を下げられます。
資産の一部を生命保険にすることで、相続税を抑える効果があります。

● 不動産と生命保険の相続財産の圧縮効果

子ども（法定相続人）3人が相続する場合

現金のみ	不動産	生命保険
現金 6,000万円	現金 4,000万円	現金 4,500万円
	不動産 2,000万円 不動産評価額 1,600万円	生命保険 1,500万円 非課税枠 1,500万円
（相続税） 120万円	（相続税） 80万円	（相続税） 0円

※ 不動産の取得や、保険契約にかかる費用は考慮していません。

"争族"を避けられて **相続税も抑えられる!**

Point

親から子どもへ**保険料**（贈与税の基礎控除枠110万円以内）**を贈与**する相続対策もあります。契約者と受取人を子ども、保険がかけられている人を親にするのがコツ。親が亡くなった際に受け取る保険金は、**相続財産ではなく一時所得**となります。**一時所得は税率が相続税よりも低い**ため、より多くのお金を遺せるのです。必ず子どもの意思で保険を契約しましょう。**贈与契約書**がなければ、贈与を否認される可能性があるので注意。

Answer

非課税枠があり、現金化も早い！
相続人が争うことなくお金を遺せる

（生命）保険！

お金が増える
残し方
は、どっち？

Question

60代の贈与なら「暦年贈与」「相続時に精算」？

60代になると選択肢が増える

贈与したお金への課税方式には、**「暦年贈与」**と**「相続時精算課税」**の２つがあります。

暦年贈与は、年間１１０万円まで非課税で贈与できる、一見お得な制度。ただし、注意点もあります。贈与者が亡くなり相続が発生すると、**７年前までさかのぼり**（４～７年前の贈与から１００万円を引いた額）相続財産とみなされるのです。

相続時精算課税制度は、非課税枠が累積で**２５００万円まで**と制限があります。とはいえ、相続時には１１０万円×贈与した年数分が非課税となるため、相続財産を減らすことができます。仮に贈与額が２５００万円を超えても、**贈与税率は20%に固定**されるため、最大55%で計算される暦年贈与よりも有利になることが多いでしょう。

毎年110万円を贈与したら

相続開始前の10年間、毎年110万円を贈与していた場合
それぞれの相続財産への持ち戻し額は、大きく変わります。

贈与総額 1,100万円＝110万円×10年間

暦年贈与	相続時精算課税
● 加算対象 **110万円×7年分**	● 加算対象 **0円**
● 非課税枠 **100万円**	
● 持ち戻される財産 **670万円**	● 持ち戻される財産 **0円**

相続時精算課税制度なら **非課税！**

暦年贈与と相続時精算課税の違い

通常は暦年贈与となり、要件を満たしている場合のみ、相続時精算課税を選択できます。ちなみに、贈与税を支払うのは、贈与された人（受贈者）です。

	暦年贈与	相続時精算課税
贈与税の非課税枠	年間**110**万円まで	累積**2,500**万円まで
贈与税の特別非課税枠	**なし**	毎年**110**万円
相続財産に加える期間	最長で相続開始前**7**年	選択後の**全期間**
相続時非課税枠	相続発生前4～7年の 贈与金額合計のうち**100**万円	**110**万円×贈与年数
贈与税率	110万円を超えた額の **10～55%**	2,500万円を超えた額の **20%**
贈与する人（贈与者）	**誰でも可**	60代以上の**親**
贈与される人（受贈者）	**誰でも可**	18歳以上の**子ども・孫**
贈与税の申告	年間**110**万円まで不要	年間**110**万円まで不要

毎年110万円以下の贈与は相続財産に **加算されない！**

※ 相続時精算課税を利用できる贈与者と受贈者の年齢は、それぞれその年の１月１日時点で判定。

Point

相続時精算課税制度を利用する際の注意点は、**一度選択すると変更ができない**こと。制度を利用して家を贈与された場合、相続時に**小規模宅地の特例が使えない**ことや、**相続税の物納ができなくなる**ことはデメリットです。

一方で、相続財産としての評価額は、**相続時ではなく贈与時の価額**となるため、将来値上がりが予想される**株式**や**賃貸不動産**などの贈与には向いています。専門家に協力を仰ぎしっかり検討しましょう。

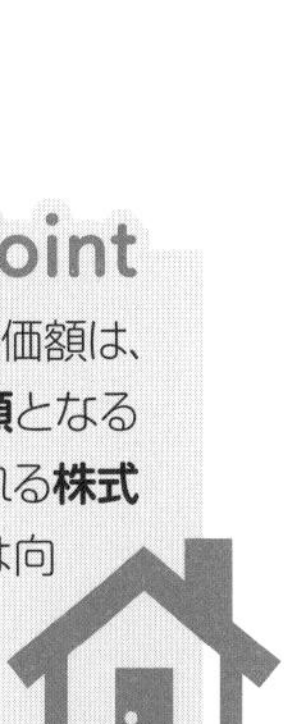

Answer

60代からの贈与なら、計画的に受け取りながら **相続時に精算！**

お金が増える
残し方
は、どっち?

Question

二世帯住宅の登記は「区分登記」「共有登記」?

相続時に特例をフルに使うために

二世帯住宅の土地を相続する際、登記の仕方によって、相続税が大きく変わります。

要因は**「小規模宅地等の特例」**の適用の有無。

亡くなった方の自宅の土地を配偶者か同居の親族が相続する場合、この特例が使えれば、**財産価値が8割引**され、相続税が安くなります。

たとえば、1階部分は父、2階部分は子どもの所有権として、それぞれ**区分登記**にしていた場合、同居扱いにならないため特例は適用されません。

一方、1つの建物を父と子で半分ずつ所有権を持つ**共有登記**にしていた場合、特例が適用されます。現在、区分登記されていても、要件を満たせば変更することが可能です。詳しくは税理士や、土地家屋調査士へご相談ください。

二世帯住宅は登記に注意

相続時に登記の名義を原因とするトラブルが起こる事例もあるため、慎重に登記方法を検討しましょう。

区分登記

親世帯・子世帯が、個別に登記すること

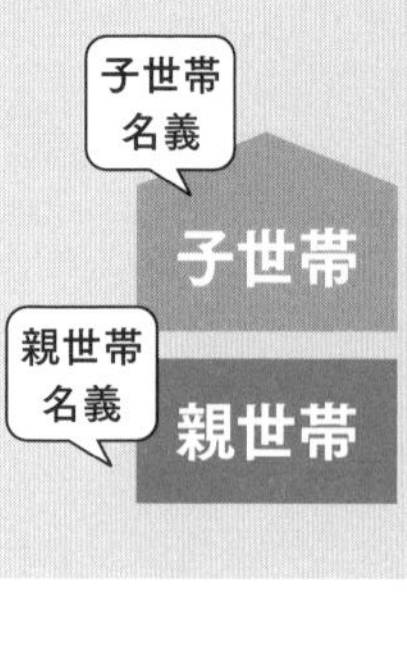

共有登記

親世帯・子世帯が、それぞれの出資割合に応じて共通名義で登記すること

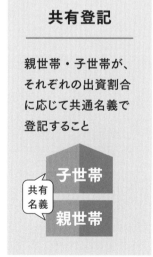

特例が無事に使えれば大きな効果に

小規模宅地等の特例が使える範囲によって、
相続財産の額は大きく変わります。

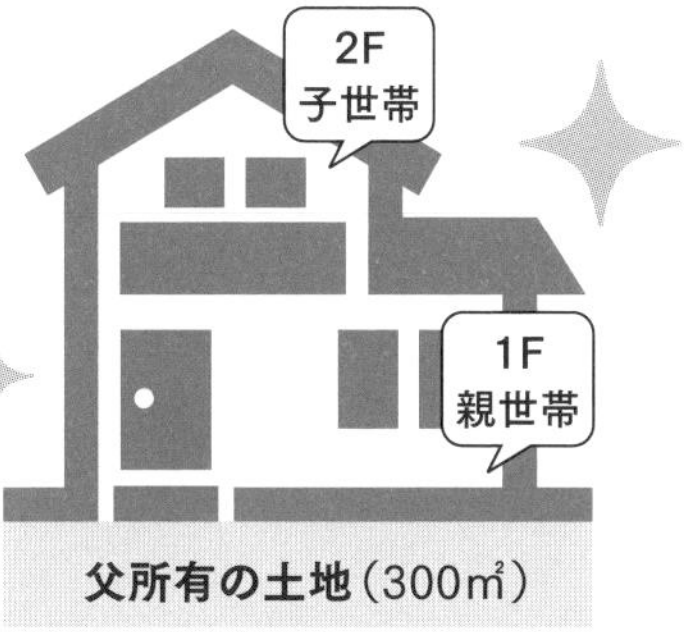

● **父が亡くなり母と息子で相続した場合**

土地の評価額
4,000万円

区分登記

土地の評価の減額（子）
0円

土地の
半分

土地の評価の減額（母）
2,000万円×80%
=1,600万円

（相続財産の評価額）
2,400万円

共有登記

土地の評価の減額
4,000万円×80%
=3,200万円

（相続財産の評価額）
800万円

相続財産の評価額を **1,600万円カット！**

Point

区分登記を解消する方法の1つが**「合併（合体）登記」**。たとえば、親と子の所有権の持ち分を、半分ずつ等価交換することで**共有名義**とした後、合併登記をすれば1戸の建物を共有名義にできるのです。合併登記は、非常に複雑な手続きとなるうえ、税務申告が必要で、コストもかかります。

二世帯住宅をこれから建てるなら、それぞれの区分登記ではなく、親の**単独名義**もしくは、親と子の**共有名義**での登記としましょう。

Answer

二世帯住宅を建てるなら、小規模宅地等の特例を使うため

共有登記！

お金が増える
残し方
は、どっち？

Question

相続税申告書は「自力で作成」「税理士に依頼」？

相続税の払い過ぎに注意

相続税の納税が発生する場合、申告書類を自力で作成しようとする人はまずいないでしょう。

では、税金のプロである税理士に依頼しておけば大丈夫かというと、そうとも言い切れません。じつは、税理士が作成した申告書で納税した後、**相続税の払いすぎ**が見つかるケースもあるのです。

税理士によって納税額が変わるのは、**得意分野が違うため**。所得税などの会計業務がメインの税理士は、土地評価の知識をあまり持ちません。

相続財産に占める土地の割合は、平均で約3割と多いため、**土地の評価が相続税額を大きく左右する**のです。

相続税の申告は、相続専門で対応件数の多い税理士を選んで依頼しましょう。

■ 相続税の還付状況

令和３年度は、全国で589名の相続人に
合計14億8,300万円もの金額が還付（返金）されています。

出典：国税庁ホームページ「統計情報」令和３年度 ２直接税 相続税　所収の「(2) 課税状況の累年比較」

土地の相続税評価が間違っていることも

土地の相続税評価は、形状など周辺の環境によって
さまざまな特例措置を使うことで、大きく下げることができます。

● 相続税を還付される可能性が高い土地

専門家の力を借りて、土地の評価を **正しく抑える!**

Point

すでに相続税の申告が済んでいても、あきらめることはありません。相続開始から**5年10カ月以内**であれば、払いすぎた相続税を取り戻せる可能性があるのです。

申告書類を用意するだけで、相続税の過払いを**無料でチェック**してくれるサービスや、還付金が戻る場合のみ費用が発生する**成功報酬型の税理士**もいます。相続財産に土地が含まれている場合、一度相談してみるといいでしょう。

Answer

相続税申告は、
相続専門で経験豊富な
税理士に依頼!

Column 5

50歳以降にやってくる「収入ダウン3つの崖」とは？

会社員の収入は40代後半には頭打ちとなり、50代半ばには下がり始めます。そこでやってくる収入ダウンのタイミングの回数と合わせて、**「3つの崖」**と呼ぶ人もいます。

最初は、50代半ばにやってくる**「役職定年」**。会社の新陳代謝を促すため、一定の年齢に達したら役職を退く制度です。会社によって異なりますが、年収が4分の1程度下がることが多いようです。

次は、60歳ごろにやってくる**「定年」**。定年後は**❶継続雇用**、**❷転職**、**❸独立・起業**、**❹リタイア**が選択肢となります。**❶継続雇用**は人間関係をそのまま引き継げるため、気持ちは楽ですが、定年前と比較して、収入が4割減る企業もあります。**❷転職**と**❸独立・起業**は、定年前までに社外の人と情報交換を行ない、人脈を広げておくことがポイント。事前の準備で収入が大きく変わります。**❹リタイア**できるなら、それに越したことはありません。しかし、公的年金の受給開始は65歳となり、仮に60歳から繰り上げて受給すると、24％も減額されるため、注意が必要です。

最後は**「年金生活」**。完全にリタイアすると、以降の収入は年金だけになります。

その他にも、注意すべき収入を減らす2つの潜在リスクが**「ケガや病気」**と**「介護」**。

治療や介護が必要になると、予定していた**収入の確保も、キャリアアップも困難**に。また、親が認知症により介護が必要となり、さらに金融口座が凍結されて、お金が引き出せなくなってしまった場合。親のケアのために仕事を休むなどで収入が減り、介護費用を一時的に立て替えることで、貯蓄の取り崩しが発生する恐れも。

生命保険や後見人・家族信託などの仕組みや制度を利用した備えが大切です。

6
章

お金が増える考え方は、どっち？

Which is the
best way to think
your money?

お金が増える
考え方
は、どっち？

Question

お金を使う基準は「価格」「価値」？

安いから買う？ 欲しいから買う？

お金を増やすためには、「お金の使い方を磨く」ことが重要です。

具体的には、**「支払った以上の価値を得られるものに、お金を使う」**ことを、徹底するのです。

とはいえ、実践するのは案外難しいもの。

そこで、２つのコツをご紹介します。

❶買わせるシチュエーションに入らない——たとえば、年末年始のセールを避けたり、ＥＣサイトで目的の商品以外を見ないようにすること。

人は無意識のうちに、自分にとって都合のいい情報を集めてしまうもの。買うつもりがなかった商品でも、**広告表示**や販売員の**言葉たくみな売り込み**により、脳内で都合のいい情報や理由と紐づけて、購入を正当化してしまうことがあるのです。

❷支払う前に得られる価値を確認する——どんなに安い買物であっても、支払った金額以上の価値が得られるかを、確認すること。

イメージしにくい場合は、１００円ショップの買物から始めてみましょう。

慣れてくると、**値段ではなく**、今の自分にとって必要かどうか、つまり**価値で買うかどうかを判断**できるようになります。

お金を使うときには**「これでいい（妥協）」**でなく**「これがいい（価値）」**という基準で選びましょう。

価値を評価し、自分の判断で買ったという感覚を持てるため、愛着と満足感が増すメリットもあります。

■ 心を惑わす広告表示

人は直感や感情に左右されて、合理的ではない行動を取ります。この心の動きに焦点を当てた「行動経済学」は販売戦略にも活用されています。

● 行動経済学を応用した広告表示の例

表示例	効果
累計１万個売れた	「みんなが持っている」など、周りと同じ行動をすることに安心感を持つ　**［バンドワゴン効果］**
先着100名限定	「チャンスを逃すと損をしますよ」との呼びかけに反応してしまう　**［損失回避性］**
~~1万円~~↓ 5,000円	最初に与えられた情報に引きずられて、割安と判断をしてしまう　**［アンカリング効果］**
お客さま満足度 90%	「不満足度 10%」よりも好印象、表現の違いで意思決定を促す　**［フレーミング効果］**
人気No.1の ○○さん推薦	第三者の口コミやレビューは、信頼性が高いと感じてしまう　**［ウィンザー効果］**

行動経済学を知ることで　無駄な出費が減る！

Point

　高額な商品を買うときには、目先の価格だけでなく、**維持費**や**リセールバリュー**（再販価格）に注目しましょう。

　たとえば**家**や**車**。戸建てとマンションを比べると、戸建ては維持費が安い一方で、売却額はマンションのほうが高くなりがちです。車も車種によって、自動車保険代や車検などの費用や、駐車場代が大きく変わります。

　大きな金額を支払う場合、ついつい ざっくりと考えがち。ここでも丁寧にお金を使えるようになりましょう。

Answer

お金を使う理由が「値段」なら注意！
お金が増える使い方をするなら、判断基準は　価値！

お金が増える
考え方
は、どっち？

Question

経験者に聞くなら「成功体験」「失敗体験」？

失敗するなら早いほうがいい

大きな資産を築いたり、難しい挑戦を乗り越えたりした人の体験談は、とても参考になります。

特に参考になるのは、成功体験より、**失敗体験**です。

お金持ちほど、自分の失敗体験を大切にしています。**「失敗は早ければ早いほうがいい」**と話す人も少なくありません。

たとえば、投資の判断を誤り、運用資産の50％を失う失敗をする場合。資産が10万円しかないタイミングであれば、損失は5万円で済みます。しかし、資産を３０００万円まで増やした後に同じ失敗をすると、１５００万円も失うのです。

金融投資であれば、**少額の投資を何度か経験**し、小さな失敗から気づきを得たうえで、**徐々に大きな資産を運用**していくことをおススメします。

また、年齢を重ねるにつれて、失敗で失うものは増え、成功によって得られるものは減ります。

たとえば、30代で投資に失敗しても、収入があれば失うものは少ないでしょう。逆に大きな利益が出れば、その**お金の使い道は多く**、そこから得た経験値も生涯にわたって長く活かされます。

一方で、70代で投資に成功しても、健康上の不安などがあれば、増えたお金の使い道は絞られます。もしも、投資に失敗した場合、取り返しのつかない状態になる危険性もあるのです。

早めに失敗するとは、いわば、**ローリスク・ハイリターンな状態**をつくること。つまり、挽回する期間を長く持つことができるということなのです。

人は年々、投資効率が悪くなる

人は年齢を重ねるごとに、経験から得た知識や能力を使う時間が短くなります。自分がやりたいと思ったことは、なるべく早く行動に移しましょう。

● 世代別、効果的に経験を得やすいお金の使い方

20代
将来の成功につながる「失敗体験」や「知識」の獲得
→
30代
「人脈」を広げ信用を増やし「投資」を始め将来に備える
→
40代
「自分」や「家族」の成長思い出づくりと「リスク対策」
→
50代
「健康」維持と自分の「時間」の確保により老後に備える
→
60代
これまでに学んだことを駆使して人生を楽しむ

失敗を乗り越えて
豊かに
生きよう!

Point

お金を使うことで、**効果的に失敗を経験する**ことができます。それは、**自分の興味のあるセミナー**や**趣味のスクールに通う**などで、新しいことに挑戦するという方法。

もちろん、最初からうまくいくことはありません。しかし、自分の関心が高いため、**失敗からの立ち直りも早く、前向きに取り組むことができる**でしょう。そこから得た失敗と成功の体験は、後の人生で多いに活かされるのです。

Answer

人生をローリスク・ハイリターンな状態にするためにも、経験者に聞くなら

失敗体験!

Question

働く期間は「定年退職まで」「資産ができるまで」?

働く期間は、自分で決める

今、話題のライフスタイルが**「FIRE」**。「Financial Independence, Retire Early」の頭文字を取ったもので**「経済的自立」**と**「早期リタイア」**の実現を意味しています。つまり、なるべく早く資産形成をして、その運用益だけで生活費をまかない、早期退職するというもの。

とはいえ、過度な節約をしたとしても、運用益で生活できるだけの資産を築くのは至難の業。

そのうえ、資産形成にお金を回しすぎることで、本来得られるはずだった経験や、スキルアップの機会を手放してしまう恐れもあります。

では、早期退職をあきらめて定年まで働くのか、というとそうではありません。将来**必要な資金ができるまで**働くと決めるのです。

たとえば米国や英国は、一部の職業を除いて定年がありません。各自が将来必要な資金を貯めることで、経済的自立を果たしているのです。

定年まで働き、平均寿命を超えて亡くなった場合で、資産が何百万円も残っていたなら、そもそもそんなに長く働く必要がなかったと言えるでしょう。

「もっと早く引退できた」「若いうちにもっとたくさんお金を使って**経験**や**思い出**を得ることができた」と、悔やむことのないよう、自分で働いて稼ぐべき**資産のゴール**を決めましょう。

ゴールとなる資産額は、**ライフプランから逆算**することで立てられます（46ページ参照）。

自ら働く期間を決めることで、人生が能動的になり、生産性も満足度もぐっと上がるのです。

FIRE を達成するための 4%ルール

米国の株式市場の経験則から生まれたルール。年間の生活費を
投資額の4%以内でまかなえれば、元本の目減りなく暮らせるというもの。

● 生活費が月15万円（年180万円）の場合

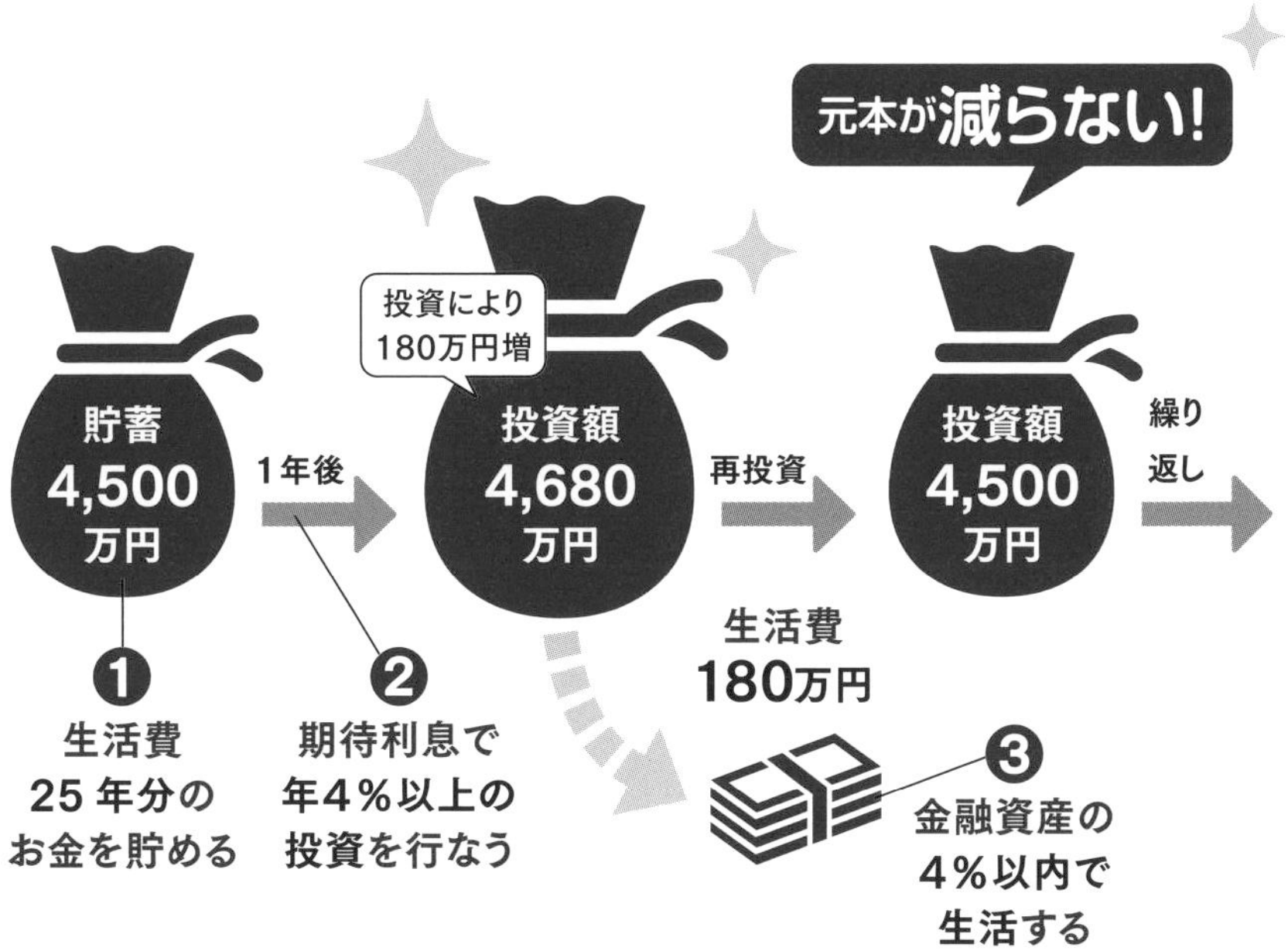

Point

早期退職にハードルを感じるなら、まずは**「サイドFIRE」**から目指しましょう。

サイドFIREとは、**資産運用の運用益で生活費の大部分をまかないつつ**、労働収入も得ていくFIRE。運用益から生活費を捻出する生活に慣れつつ、投資額を増やしましょう。

運用益で生活費がまかなえる目処が立てば、生活のための仕事から**生き甲斐のための仕事**にシフトするチャンスです。

Answer

働きすぎないよう将来に向けた

資産ができるまで!

お金が増える
考え方
は、どっち？

Question

積極的に貯めるなら「お金」「信用」？

お金は信用のある人に集まる

お金を貯める大切さは、言うまでもありません。

しかし、それと同じように大切なのが**「信用」を貯める**こと。どんなにお金を貯めていても、信用がなければ、その効果を最大限に発揮できないからです。

たとえば、家を買うとき。過去に携帯料金の滞納があったことで、住宅ローンの審査に落ちてしまった人がいます。住宅ローンが組めない場合、家は全額キャッシュで買うしかありません。これは**「きちんとお金を支払える」という信用**がなかったことで、レバレッジ（少ない自己資金で、多くのお金を使う）効果を発揮できない例です。

一方、信用による恩恵を受けた人もいます。たとえば、富裕層などのお金持ちです。

資産が多く、支払いもきちんとしていることから、とても信用があり、金融機関だけでなくビジネスにおいても、関わりたい人が後を絶ちません。

信用される人の周りには、いい情報が集まります。お金の増える話が飛び交い、それらを取り入れることで、さらに資産を増やしているのです。

信用の積み重ね方は、大きく2つあります。

❶**ウソをつかない**——本当に役に立ち、価値のある情報を発信することで、信用を重ねます。

❷**お金を使う**——価値を認めたものにお金を支払うことで、自分の考えのアウトプットとしての信用を重ねます。

信用は一朝一夕には得られません。日々の**行動の積み重ね**が大切なのです。

SNSを使って信用を重ねる

信用とは、過去の実績や結果、記録などにもとづいて相手を信じること。
履歴の残るSNSは、信用を積み重ねるうえで効果的なツールです。

● SNSの上手な使用例

役に立つことを伝える

- 生活で得た知恵
- 専門家としての知識
- 学んだことのシェア

考え方を伝える

- 家族への想い
- 仕事への情熱
- 相手を思いやる

投稿へのコメントも効果的!

● SNSの残念な使い方

自己都合すぎる発信

- 自慢話が多い
- 宣伝の投稿が多い
- 愚痴や悪口の投稿

自慢話ばかり投稿して **信用を失わないよう注意!**

Point

「信用」を得られたら、その次は未来の行動について期待される**「信頼」**を目指しましょう。田舎では、近所の人の農業を手伝うことがあります。これは、将来自分が助けてもらうため、今は相手を助けておくという考えによるもの。お互いの信頼があることで、正規の費用よりも安く（ときには無償で）労働力を確保できます。

信頼がなければ、お金を支払っていたことを考えると、経済的なメリットは大きいでしょう。

Answer

お金を貯めることも大切ですが
貯めるなら、お金の増える情報が集まる

信用!

お金が増える
考え方
は、どっち?

Question

体重計に乗るのは「毎日」「年に1度」?

体重の管理もお金の管理も一緒

太りすぎはダメとか、やせすぎはダメという話ではありません。**心と体の健康**を保つ体重をキープすることは、結果的に、お金を増やすうえでもプラスになるのです。

体重を管理するという意味においては、年に1度の健康診断のときにだけ体重計に乗るのではなく、**毎日体重計に乗る**のが正解。

続けるコツは、**記録をつける**こと。食事内容や体重を記録するだけでなぜかやせると話題になった「レコーディング・ダイエット」の手法です。

毎日体重計に乗ることで、数キロ増といった小さな変化に気づくことができます。

そこから、すぐに軌道修正することで、健康な状態を維持しやすくなるのです。

じつは、お金の管理も体重とまったく同じ。ただし、家計には定期的な健康診断がないため、自分の力で**適切な支出を維持**する必要があります。

生活費がどれだけかかっているか、把握できていないなら、体重と同じく記録をしましょう。

昔のように家計簿を買ってきて、ペンで書き込む必要はありません。今は**家計簿アプリが充実**しており、簡単に銀行やクレジットカード、電子マネー、ＱＲコード決済と自動連携できます。

記録することで、**お金の使い方が可視化**されます。可視化によって、必要性の乏しい買物に気づくかもしれません。そうした小さな意識の変化の積み重ねによって、無駄遣いが減り、お金が増えやすくなるのです。

家計のレコーディング

記録により、お金の使い方の善し悪しがわかります。お金の使い方を変えることで支出の最適化に進んでいる様子がわかるため、前向きに取り組める人が多いです。

家計の記録をつける効果

メリット

- **変化がわかりやすい**
- 記録による可視化で、変化を敏感にとらえられる
- **調整しやすい**
- 記録があることで、何が必要で、何が不要かを見極められる
- **行動を変えやすい**
- 買物の場所や傾向などを客観視することで、お金の使い方を見直せる

デメリット

- **初期設定が手間**
- 記録が簡単なアプリでも初期設定に時間がかかる
- **几帳面な人に向かない**
- 丁寧に記録しようとしすぎると、手間も時間もかかり、挫折しがち

記録して満足しないように注意！

Point

家計の細かい記録を、ずっと続ける必要はありません。数カ月ほど試してみて、お金の使い方を整え、**支出が安定したら**、細かい記録はやめてもいいでしょう。

そこからは、クレジットカードの引き落とし額などを元に、月の**支出を大まかに記録**する程度で大丈夫。

その後は、子どもの進学や独立など、定期的な支出が増減するタイミングで、再度細かく記録してみるといいでしょう。

Answer

小さな体重の変化を見逃さず、健康な状態を維持するためにも、体重計に乗るなら 毎日！

お金が増える
考え方
は、どっち？

Question

使い方にこだわるなら「お金」「時間」？

有限なものから順に大切にする

時間はすべての人に平等です。だからこそ、使い方によって、将来大きな差が生まれます。

時間の価値を最大限に高めるためには、時には**お金を使って時間を節約**することも大切です。

たとえば、目的地への移動手段を電車ではなく、タクシーにしてみる。パソコンで顧客情報を開いて仕事をしたり、個人情報の入力を伴うネット手続きをするなど、移動時間を有効活用できます。

「時短家電」を使えば、日常の家事にかかる時間を大幅に減らすことができます。

たとえば、**ロボット掃除機**は、自分が外出している間に掃除を済ませてくれます。毎日30分掃除をしている人であれば、時短家電を買うだけで、年間180時間もの時間を節約できます。

乾燥機つき洗濯機や**食洗機**も、時間を増やしてくれる強い味方です。

そして、お金を使って手に入れた時間を、けっして無駄にしてはいけません。

その時間は、家族との**思い出**づくりや、自分の**学び**、**趣味**のために使いましょう。

お金と時間をかけた趣味は、**人脈を広げる**うえでとても役立ちます。

仕事や、新しいコミュニティで出会った人と親交を深める際に、趣味の話題がきっかけになることが多いからです。

こうして出会った人たちから、**情報や人脈を得る**ことで、さらに効率よく時間を使えるようになるでしょう。

時間を増やす3つのコツ

現在時間をかけているものを整理し、「放棄」「自動化」「委任」に振り分けることで、自分の時間を確保しよう。

放棄

必要のない業務や、習慣・行動を手放す
例）価値観が合わなくなったコミュニティの集まりには行かない

自動化

習慣的に繰り返していることを仕組み化する
例）定期的に支払っているものを、自動振り込みに設定する

委任

自分がやらなくてもよいことや苦手なことを、得意な人に任せる
例）確定申告や遺言の作成を、税理士や弁護士に任せる

振り分けることで **使える時間が増える!**

Point

増えた時間に、どんどん予定を詰めて、数週間先まで空きがないというのも考えもの。

時間に**ゆとり**がなければ、突然やって来たチャンスに、対応できないからです。その都度、予定を変更し続けるわけにもいきません。特に相手のある予定だった場合、**自分の信用を失う**からです。

時間を上手に使って、スケジュールに余裕を持たせ、**チャンスを確実につかみ**ましょう。

Answer

使い方にこだわるなら、
無限に貯められるお金ではなく、限りのある
時間!

お金が増える
考え方
は、どっち?

Question

先に尽きてしまうのは「寿命」「お金」?

後悔しない生き方をするためにも

「寿命」と「お金」、どちらが先に尽きてしまうでしょうか。

　行き当たりばったりの生活をしていれば「お金」が先に尽きるかもしれません。しかし、ライフプランをきちんと立てて、資産形成に取り組んでいれば、先に尽きるのは「寿命」のほうでしょう。

　また、人生では「独身だからできること」「結婚しているからできること」「子どもがいるからできること」など、それぞれのタイミングで選択肢が変わるため、**経験にも寿命がある**ことがわかります。しかも、タイミングを逃すと二度と経験できないものが多いのです。

　だからこそ、**チャンスやタイミングを逃さず、効果的にお金を使う**ことが大切です。

　タイミングをつかむという意味では**「ライフプラン」を定期的に振り返る**ことが効果的です。

　ライフプランは、死ぬまでにやりたいことを書きだしたリスト（バケットリスト）でもあります。

　自分のやりたかったことを振り返ることで、目標に向けたモチベーションが、グッと上がります。

　やりたいこととその期限を、**手帳やスマホのメモに書き写しておく**ことも有効です。

　気軽に振り返ることができるうえ、実現したことを斜線で消したり、達成した項目として残すことで、満足度はさらに高まります。

　経験の持つ寿命を意識し、その時間を大切にしようと考えるだけで、行動は前向きに変わります。

経験の持つ寿命

年齢や環境によって、経験できることは違います。
経験のできるチャンスやタイミングを逃さないようにしましょう。

経験の種類	健康な状態	老後	独身の人	家族がいる人	ケガや病気
恋愛	○	○	○	×	△
親孝行	○	×	○	△	△
子育て・親子関係	○	△	—	○	△
自由にお金を使う	○	△	○	×	×
リスクのある挑戦	○	×	○	△	×
仕事へ打ち込む	○	△	○	○	△
趣味に没頭	○	○	○	△	△
一人を満喫	○	△	○	△	△
夜遅くまでの外出	○	×	○	△	×

○ 自由にできる
△ 制限がある
× 難しい

経験できる期間は **変化する!**

Point

総務省の社会生活基本調査で、驚きの事実が公表されました。データをもとに計算すると、親が我が子とお互いに顔を合わせて**一緒に過ごす時間**は、母親で**約7年半**、父親にいたっては**約3年4カ月**しかないそうです。

子育てが、自らの働き盛りのタイミングと一致する人は多いでしょう。しかし、子どもと一緒に過ごせる時間は刻一刻と減っています。悔いのないように**家族との時間を大切に**しましょう。

Answer

ライフプランをきちんと立てていれば
先に尽きてしまうのは、経験できる

寿命!

Question

家族との外食は「消費・浪費」「投資」?

お金を使うなら付加価値を引き出そう

あなたにとって、外食は「消費」ですか？　それとも「浪費」ですか？

どんなときでも、お金を支払うときは、**ものやサービスに「投資」している**と考えるのが正解です。

それと同時に、ものやサービスから得られる「情報」や「知識」、そこから広がる「人脈」などの付加価値を引き出すように意識しましょう。

たとえば家族との外食で、馴染みの店が近くになければ、ネットやアプリで調べる前に、周りの人から薦められたお店はないか、思い出しましょう。

その理由は、自分で選んだ店ではなく、人に薦められたお店に行くことで、「食事」本来の価値に加えて、紹介者に感想を伝えられるという付加価値が生まれるからです。

「ご紹介いただいたお店、○○がおいしかったです」と伝えることで、食事代は**「人脈」を育むための投資**に変わります。

さらに、ＳＮＳへお店の感想を投稿することで、ただの外食が**「情報」としての価値**を生むことになるのです。

このように、お金を使うときには、商品そのものの価値だけでなく、そこから派生するさまざまな**付加価値を上乗せ**していくことが大切です。

お金の専門家のアドバイスには、お金の使い道を「投資」「消費」「浪費」の三つに分けるものがあります。しかし、同じお金を使うなら、**つねに「投資」に結びつける**ことを意識したほうが、お金は増えやすくなります。

付加価値を持たせやすい投資先

使ったお金に価値を上乗せしていくことで、投資の効果が最大化します。
「消費」や「浪費」に思えることにも、投資効果を持たせられないか考えましょう。

金融投資	・資産が増える期待値がある ＋ ・世の中の情勢に興味を持ちやすくなる
本を読む	・最新の知識を得る ＋ ・得た知識を発信して「情報」へ変える
人脈の拡大	・応援してくれる協力者を増やす ＋ ・同じ価値観の仲間と「思い出」をつくる
健康の維持	・病気のリスクと、治療費を抑える ＋ ・不健康により受ける制限を減らす

支払った額以上のリターンがあれば **立派な投資！**

Point

子どもを育てている人であれば、**子どもの教育**が、もっとも付加価値を上乗せしやすい投資先です。

「教育経済学」では、**子どもが若ければ若いほど、投資に対する効果がある**とされています。効果とは、将来の収入の高さだけではなく、幸福感や寿命、健康に与える影響まで分析して、金銭的価値として評価しています。

そして、**子どもと一緒につくった思い出は一生もの**。あなたには最も価値があるでしょう。

Answer

**お金を使うことは、商品そのものの価値はもちろん
そこから派生する付加価値を引き出すための 投資！**

お金が増える
考え方
は、どっち？

Question

晩年に価値をもつのは「資産」「思い出」？

増やしたお金を価値のあるものに変える

終末期を迎える病室には、お金はもちろん、地位や名声、高級品や高級車など、すべての資産を持ち込むことはできません。

最期に身近にあるものは、自分の体と頭の中に残っている経験という**「思い出」**だけです。

資産を必要以上に貯めることなく**「経験」にお金を使う**ことが合理的です。

失敗も含めた過去の経験の積み重ねは、人生で何度も知恵や力をもたらしてくれます。

経験の積み重ねから生まれる価値は、金銭に置き換えるとわかりやすいでしょう。

たとえば、１００万円を持っている場合。

銀行に預けておくだけで、経験のためにまったくお金を使わなければ、リターンは1円も得ることができません。

一方、その１００万円を使って経験したことが、その後の50年にわたり、毎年３・５％の複利で人生に価値を与え、思い出を積み重ねられた場合。50年後には約４７４万円分の**付加価値**を生んでいるのです。

一般的に、投資へのリターンは運用期間が長いほど大きくなる傾向にあります。同様に経験への投資も、**早ければ早いほうが効果も大きい**のです。

老後のためにお金を貯めることも大切です。

しかし、目の前にある貴重な経験をするチャンスを捨ててまで、必ず来るかわからない老後への備えを最優先すべきではないと考えます。

バランスよく、経験にお金を使いましょう。

■ 後悔のない人生を送るためには

緩和ケアの介護を長年務め、数多くの患者を看取ったブロニー・ウェア氏は著書の中で、「死ぬ瞬間に後悔しがちな5つの項目」を紹介しています。

死ぬ瞬間の5つの後悔

- **自分に正直な人生を生きればよかった**
- **働きすぎなければよかった**
- **思い切って自分の気持ちを伝えればよかった**
- **友人と連絡を取り続ければよかった**
- **幸せをあきらめなければよかった**

出典：ブロニー・ウェア『死ぬ瞬間の5つの後悔』

後悔しないためにも望んだタイミングで、望んだ 経験をしよう!

Point

「思い出」を残すことには、他にもメリットがあります。脳は**「情動減衰バイアス」**が働くことで、悪い記憶を消去し、良い記憶だけを残す傾向があるため、**記憶はいずれ美化される**ことが多いのです。晩年には良い思い出であふれていることでしょう。

過去の経験は二度とすることができません。その経験を振り返り、貴重だったと感じることで、**幸福度が増す**という効果もわかっています。

Answer

晩年に価値が最大化するのは、脳により美化される

思い出!

Question

将来の決め手は「専門家の提案」「自分の価値観」?

人生において納得し続けられるのは?

ここまでのクイズは、いかがでしたか?

「正解した!」「間違った!」「知らなかった!」「正解が自分に合わない!」「他にも選択肢があるのでは?」など、問題によってもさまざまな意見があると思います。

しかし、それでいいのです。効果的な選択肢は、資産状況や生活環境によって違います。

大切なのは、お金について向き合い、**自分でしっかり考える**こと。

ちなみに、インターネット検索により得られたアドバイスが、あなたにぴったりとは限りません。

本当に有益な情報は、最前線で活動している専門家の頭の中に入っているものです。まずは、**信頼できる専門家**を探しましょう。

一方、専門家のいうことを鵜呑みにしすぎてもいけません。理由は、少ない面談の中で、あなたの価値観を把握して、提案することが難しいから。

自分の選択肢を、より精度の高いものにしたいなら、**メンターを持つ**こともおススメです。メンターとは、助言や指導により技術や知識を伝え、自発的な発達を促す経験豊富な人のこと。

自分の価値観や目標に近い人を見つけたら、アドバイスをもらえるよう相談しましょう。

専門家から得た知識やノウハウと、**メンターから得たアドバイス**を、一度整理しましょう。

そして、最後に決めるのは**あなたの価値観**。自らの意思で将来を選択することで、納得のいく人生を送りましょう。

専門家とメンターを活用しよう

人生100年時代となり、選択による将来の影響はさらに大きくなりました。
専門家とメンターをうまく活用して、理想の未来を実現しましょう。

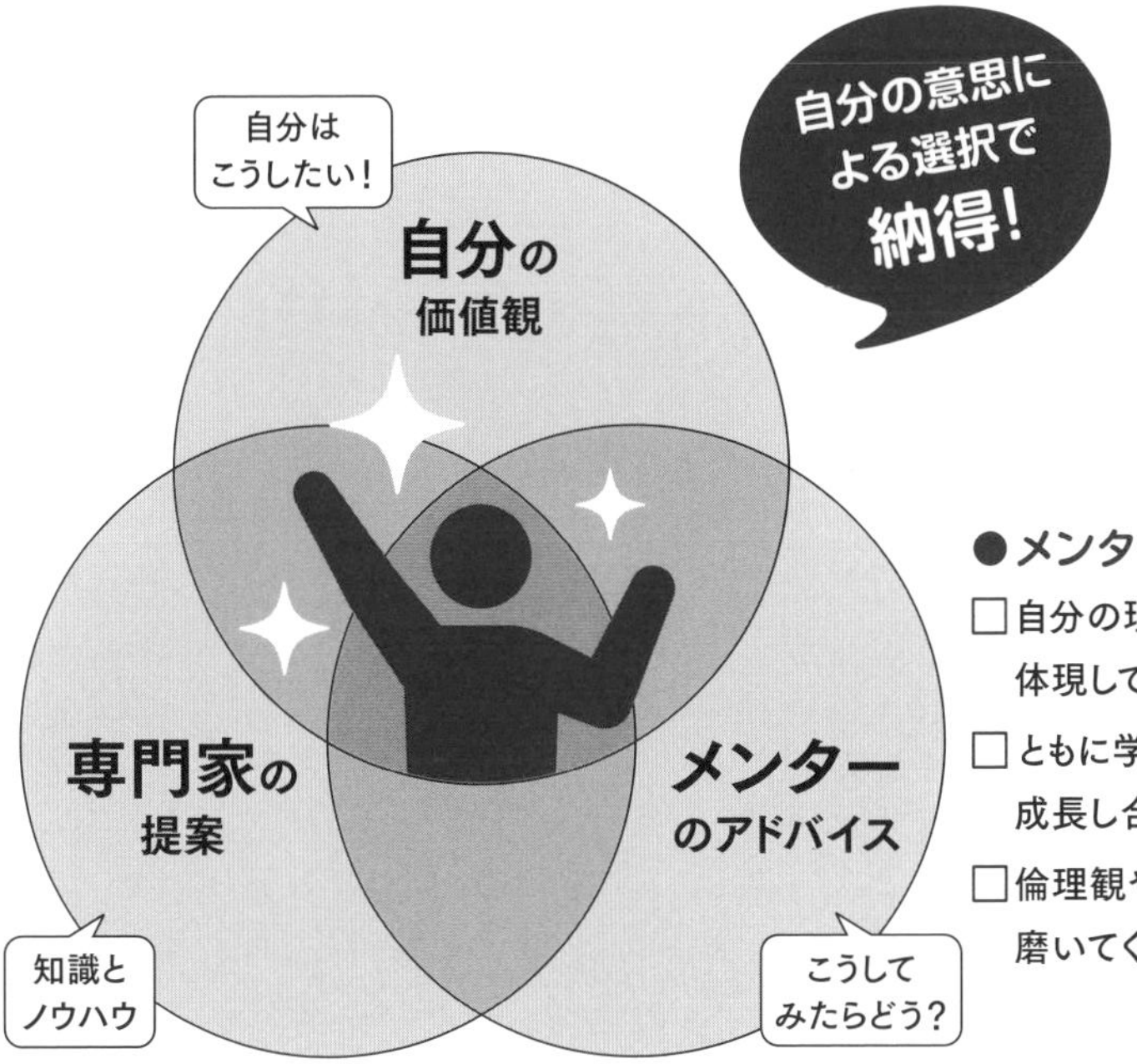

●メンター

□自分の理想を体現している人

□ともに学び、成長し合える人

□倫理観や美意識を磨いてくれる人

専門家：ファイナンシャルプランナー、ファイナンシャルアドバイザー、税理士、銀行の営業員、証券会社の営業員、保険販売員 など

メンター：資産規模など先を行く人、資産規模や環境が似ている人、文化人 など

Point

いい専門家を見極めるポイントは**「知識・経験」**と**「情報倫理」**の2つ。

提案を受けたら、その方法（商品）の**利用経験**を尋ねましょう。本当にいい提案であれば、自ら実践しているはずです。経験がない場合でも、納得のいく理由があれば、耳を傾けましょう。

情報倫理とは、情報を扱ううえでの**モラルやマナー**のこと。資産の話は、重要な個人情報。カフェなどオープンな場所で話そうとしている人は倫理観に欠ける専門家です。

Answer

将来の決め手は、その後も納得し続けられる

自分の価値観！

【注意書き】
・本書の情報は、本文中で特に説明がない限り、2024年1月末時点のものです。
・本書の数値は、所定の条件のもと算出したものです。あくまでも参考値としてご覧ください。
・本書を参考にした投資結果について、著者および本書の発行元は一切の責任を負いません。

企画協力 ネクストサービス(株)
松尾 昭仁

本文DTP 宇那木 孝俊、立川 健悟

協　　力 上條 倫生、河井 慎一郎、高比耒 真紀、田上 誠也、芳賀 秀太、福田 幸生、
森野 桂一、吉岡 武志

お金《かね》が増《ふ》えるのは、どっち？

著　者——立川健悟（たつがわ・けんご）

発行者——押鐘太陽

発行所——株式会社三笠書房

〒102-0072 東京都千代田区飯田橋3-3-1
電話：(03)5226-5734（営業部）
：(03)5226-5731（編集部）
https://www.mikasashobo.co.jp

印　刷——誠宏印刷

製　本——若林製本工場

ISBN978-4-8379-2976-5 C0030

A5H0004